El ABC
del
Liderazgo

Título original: *Leadership 101*
Traducción: Miguel Mesías
Edición: Lidia María Riba
Colaboración editorial: Silvina Poch
Dirección de arte: Trini Vergara
Diseño: María Inés Linares
Ilustración de cubierta: Ana Cenzato

ARGENTINA: Demaría 4412 (C1425AEB) Buenos Aires
Tel./Fax: (54-11) 4778-9444 y rotativas
e-mail: editoras@libroregalo.com

MÉXICO: Av. Tamaulipas 145, Colonia Hipódromo Condesa
CP 06170 - Delegación Cuauhtémoc, México D. F.
Tel./Fax: (5255) 5220-6620/6621 • 01800-543-4995
e-mail: editoras@vergarariba.com.mx

ISBN: 978-987-612-052- 4

Impreso en Argentina por Mundial Impresos
Printed in Argentina

Maxwell, John C.
El ABC del liderazgo / John C. Maxwell;
edición literaria a cargo de: Lidia María Riba
1ª ed. - Ciudad Autónoma de Buenos Aires: V&R, 2007.
128 p.; 22x14 cm.
Traducido por: Miguel Mesías

ISBN 978-987-612-052-4

1. Liderazgo. I. Lidia María Riba, ed. lit. II. Mesías, Miguel, trad. III. Título
CDD 658.4

JOHN C. MAXWELL

El ABC
del
Liderazgo

EDITORAS

Contenido

¿Por qué *El ABC del Liderazgo*?

Algunos lectores se preguntarán por qué escribo otro libro sobre liderazgo. Hace ya un tiempo, expliqué en una charla por qué escribo. Lo hago porque deseo ayudar a las personas a tener éxito. Y creo que para tener éxito en la vida, una persona necesita tener habilidad en cuatro áreas: Relaciones, Capacitación, Actitud y Liderazgo. Éstos son los cuatro temas sobre los que escribo y por eso afirmo que todas las personas pueden llegar a tener verdadero éxito.

Decidí escribir una serie de libros cortos, de fácil lectura sobre cada uno de esos temas, debido a que la gente anda siempre deprisa, su tiempo es valioso y, a la vez, está sobrecargada de información.

El ABC del Liderazgo pertenece a esa serie de libros que ofrecen al lector un curso breve sobre lo que necesita para llegar a alcanzar ese verdadero éxito. En este libro he compilado lo que hay que saber sobre el liderazgo a partir de los conceptos básicos y esenciales adquiridos en más de treinta años de experiencia como líder: qué es el liderazgo, cuáles son los rasgos que todo líder debe desarrollar y cuál es el impacto que el liderazgo puede tener en nuestra vida y en la de quienes están bajo nuestra dirección.

Está comprobado que cada uno de nosotros influye, por lo menos, en diez mil personas durante el transcurso de su vida. Por lo tanto, el problema no es si uno influirá en alguien, sino cómo usará su influencia. Este libro está concebido para ayudarte a desarrollar tu capacidad de liderazgo y aumentar tu éxito personal y administrativo. Ya sea que tu aspiración consista en crear una empresa, fortalecer a tus hijos o conquistar el mundo, el primer paso para lograrlo es elevar tu nivel de liderazgo.

Sir Francis Bacon señaló que el conocimiento es poder. Cuando él vivía y la información era escasa, es posible que esto fuera cierto. Pero hoy sería mejor decir que el conocimiento da opciones, y mi deseo es darte opciones y verte ascender a un nivel superior.

PARTE I
El desarrollo de un líder

I
¿Por qué debo crecer como líder?

Cuanto más alto el liderazgo, mayor la efectividad.

Suelo iniciar mis conferencias explicando lo que llamo la Ley del Tope, porque ayuda a las personas a entender el valor del liderazgo. Si podemos interpretar esta ley, veremos el increíble impacto que tiene el liderazgo sobre todos los aspectos de la vida. La ley dice: *La capacidad de liderazgo es el tope que determina el nivel de efectividad de una persona.* Cuanto menor sea la capacidad de una persona para dirigir, más bajo será el límite sobre su potencial. Cuanto más alto el liderazgo, mayor es la efectividad. La capacidad de liderazgo —para bien o para mal— siempre determina nuestra efectividad en la vida y el impacto potencial de nuestra organización.

Relataré una historia que ilustra la Ley del Tope. En 1930, dos jóvenes hermanos llamados Dick y Maurice llegaron a California en busca del «sueño americano». Acababan de salir del bachillerato y veían pocas oportunidades en su medio. Marcharon directamente a Hollywood, donde finalmente hallaron trabajo en un estudio cinematográfico.

Después de un tiempo, su espíritu empresarial y su interés en la industria del entretenimiento les impulsaron a abrir un teatro, pero a pesar de sus esfuerzos, no lograron hacerlo rentable y buscaron una mejor oportunidad.

Una nueva oportunidad

En 1937, los hermanos abrieron un pequeño restaurante en Pasadena, donde se servía la comida en el propio automóvil del cliente. En los años treinta, en el sur de California, los restaurantes de ese tipo se expandían a medida que la gente dependía cada vez más del automóvil. Los clientes entraban con sus vehículos a una gran playa de estacionamiento, que rodeaba un pequeño restaurante, pedían lo que deseaban a un camarero y recibían la comida en bandejas, directamente en sus automóviles. La comida se servía en vajilla de loza con vasos de cristal y cubiertos de metal.

El pequeño restaurante de Dick y Maurice fue un gran éxito y en 1940 se trasladaron a San Bernardino, al este de Los Ángeles. Allí construyeron un local más amplio y agregaron carne de res y de cerdo, hamburguesas y otros comestibles a su menú de salchichas, patatas fritas y batidos. Las ventas anuales llegaron a 200.000 dólares y los hermanos obtuvieron 50.000 dólares de ganancia cada año, suma que los colocó entre la élite financiera de la ciudad.

En 1948, su intuición les indicó que los tiempos estaban cambiando, de modo que modificaron su restaurante: eliminaron el servicio de comida en los automóviles y comenzaron a servir dentro del establecimiento; redujeron el menú y se concentraron en la venta de hamburguesas; eliminaron los platos de loza, los vasos de cristal y los cubiertos de metal y utilizaron en su lugar productos de papel; redujeron sus costos y bajaron los precios. Crearon, además, lo que llamaron Sistema de Servicio Rápido: su cocina se convirtió en algo así como una línea de ensamblaje, donde cada persona se concentraba en el servicio con rapidez. Su objetivo era servir cada pedido en treinta segundos o menos. Y lo lograron. A mediados de la década de 1950, sus ingresos anuales alcanzaron 350.000 dólares y, para ese entonces, Dick y Maurice se repartían ya ganancias netas de cerca de 100.000 dólares por año.

¿Quiénes eran estos hermanos? El letrero con luces de neón que colgaba al frente de su pequeño restaurante, decía: McDonald's.

El resto, como suele decirse, es historia, ¿verdad? Pero no. Porque el liderazgo débil de los hermanos McDonald puso un tope a su capacidad de triunfar.

La historia detrás de la historia

Los hermanos McDonald se encontraban financieramente bien y su talento era tan conocido en los círculos de servicio de comida que mucha gente de todo el país deseaba aprender más sobre sus métodos. En ese momento decidieron comercializar el concepto McDonald.

La idea de conceder franquicias les parecía un modo de hacer dinero sin tener que abrir otro restaurante. En 1952, trataron de hacerlo, pero su esfuerzo culminó en un fracaso. La razón era simple: carecían del liderazgo necesario para convertirlo en realidad.

Dick y Maurice eran excelentes dueños de restaurantes: sabían cómo manejar un negocio, hacer un sistema eficiente, reducir gastos y aumentar ganancias. Eran administradores muy buenos, pero no líderes. Su mentalidad puso freno a lo que podían hacer y llegar a ser. En la cúspide de su éxito, Dick y Maurice se hallaban frente a frente con la Ley del Tope.

LOS HERMANOS SE ASOCIAN CON UN LÍDER

En 1954, los hermanos dieron con un hombre llamado Ray Kroc, que sí era un líder. Kroc había manejado una pequeña compañía que vendía máquinas de hacer batidos de leche. Los McDonald eran uno de sus mejores clientes y, tan pronto como visitó el restaurante, Kroc tuvo una visión con respecto a su potencial. En su mente pudo ver el restaurante proyectarse nacionalmente en cientos de lugares. Pronto logró un convenio con Dick y Maurice y, en 1955, estableció el Sistema McDonald.

Kroc inmediatamente compró los derechos de una franquicia para poder utilizarla como modelo y prototipo para vender otras. Luego comenzó a organizar un equipo y creó una organización para hacer de McDonald's una entidad nacional.

En los comienzos, Kroc hizo grandes sacrificios. Durante sus primeros ocho años con McDonald's, no cobró salario alguno. Pedía préstamos personales al banco y usaba su seguro de vida para ayudar a cubrir los sueldos de varios líderes clave que tenía en su equipo. Su sacrificio y su liderazgo dieron resultado. En 1961, compró a los hermanos los derechos exclusivos de McDonald's a 2.700.000 dólares, y convirtió a la empresa en una institución norteamericana y una entidad global. El «tope» de la vida y del liderazgo de Ray Kroc se hallaba, obviamente, mucho más arriba que el de sus predecesores.

Durante los años en que Dick y Maurice McDonald habían tratado de otorgar franquicias de su sistema de servicio de comidas, sólo lograron vender la idea a quince compradores, de los cuales apenas diez abrieron restaurantes. Pero la capacidad de liderazgo en la vida de Ray Kroc era ilimitada. Entre 1955 y 1959, Kroc logró abrir cien restaurantes.

Cuatro años más tarde, ya existían quinientos McDonald's. Hoy, la compañía ha abierto más de veintiún mil restaurantes en no menos de cien países. La capacidad de liderazgo –o, más específicamente, la falta de capacidad de liderazgo– fue el límite de la efectividad de los hermanos McDonald.

ÉXITO SIN LIDERAZGO

Creo que el éxito está al alcance de casi todos. Pero creo también que el éxito personal sin capacidad de liderazgo logra sólo una efectividad limitada. Cuanto más alto queramos llegar, más necesitaremos del liderazgo. Cuanto mayor sea el impacto que queramos alcanzar, mayor deberá ser nuestra influencia. Todo lo que logremos estará limitado por nuestra capacidad de dirigir a otros.

Veamos este cuadro que ilustra lo que quiero decir. Digamos que, cuando se trata de éxito, tienes un 8 (en una escala de 1 a 10). Eso es bastante bueno. Creo que se podría decir que los hermanos McDonald estaban en ese nivel. Pero si tu capacidad de liderazgo es sólo de 1, tu nivel de efectividad se verá de esta forma:

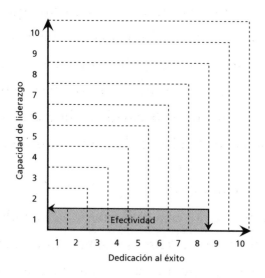

Para aumentar tu nivel de efectividad, existen dos opciones. Podrías trabajar mucho para incrementar tu dedicación al éxito y a la excelencia, en un esfuerzo por llegar a 10. Es posible que pudieras llegar a ese nivel, aunque la ley del rendimiento decreciente indica que tu éxito aumentará sólo hasta cierto punto, después del cual dejará de hacerlo en forma proporcional a la cantidad de trabajo que le dediques. En otras palabras, el esfuerzo que te exigiría aumentar esos dos últimos puntos podría consumirte más energía que la que has empleado para lograr los primeros ocho. Pero, si realmente trabajaras hasta el agotamiento, podrías aumentar tu éxito ese 25%.

Nos queda la otra opción. Digamos que trabajas duramente para aumentar tu nivel de liderazgo. Con el tiempo, te desarrollas como líder y tu capacidad de liderazgo llega a alcanzar, por ejemplo, un 6. Los resultados se presentarían del siguiente modo:

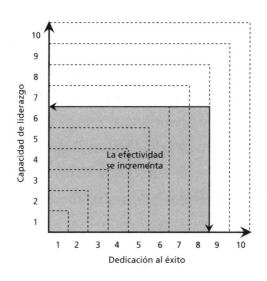

Al aumentar tu capacidad de liderazgo –sin aumentar tu dedicación al éxito– puedes incrementar tu efectividad original en un 500%. Si elevaras tu liderazgo a 8, con la misma dedicación al éxito, ¡aumentarías tu efectividad en un 700%! El liderazgo tiene un efecto multiplicador. He visto su impacto repetidas veces en toda clase de emprendimientos e instituciones no lucrativas. Por ese motivo me he dedicado, durante más de veinticinco años, a enseñar su significado.

Para cambiar la dirección de la organización, se debe cambiar de líder

La capacidad de liderazgo es siempre el tope de la efectividad de la persona y también de la organización. Si el liderazgo es fuerte, el tope es alto. Pero si no lo es, la organización se verá limitada. Por esta razón es natural que, en tiempos de dificultades, las organizaciones busquen un nuevo liderazgo. En tiempos difíciles, un país elige una nueva alternativa política. Cuando un equipo deportivo pierde continuamente, intenta con un nuevo entrenador. Cuando una compañía está perdiendo dinero, contrata un nuevo director general.

Para lograr el más alto nivel de efectividad, hay que elevar el tope de la capacidad de liderazgo.

Hace pocos años me reuní con Don Stephenson, presidente de una firma internacional de asesoramiento y consultoría hotelera. Cuando le pregunté acerca de su empresa, me contó que siempre que se hacían cargo de una organización, comenzaban haciendo dos cosas: primero, entrenaban a todo el personal para mejorar su nivel de servicio a los clientes y segundo, despedían a la persona de más responsabilidad. Cuando me lo dijo, quedé sorprendido.

–¿En todos los casos prescinden de esa persona? –le pregunté.

–Así es. Siempre –me contestó.

–¿No hablan primero con la gente para indagar si es un buen líder?

–No –me respondió–. Si hubiera sido un buen líder, la organización no se encontraría en ese estado deplorable.

Me dije: Por supuesto, ésta es la Ley del Tope. Para alcanzar el más alto nivel de efectividad, se tiene que elevar el tope... de una manera u otra.

Sin embargo, eliminar al líder no es la única manera de hacerlo porque así como afirmo que existe el tope, también sostengo que éste se puede elevar.

2
¿Cómo puedo crecer como líder?

> *El liderazgo se desarrolla día a día, no en un solo día.*

Llegar a ser un líder es muy parecido a invertir exitosamente en el mercado de valores. Si uno espera hacer una fortuna en un día, no tendrá éxito. Lo más importante es lo que uno hace día por día en un largo trayecto. Mi amigo Tag Short sostiene que «el secreto del éxito se halla en la planificación del día». Si uno invierte continuamente en el desarrollo de su liderazgo y permite que sus «activos» se acumulen, el resultado inevitable es el crecimiento.

Cuando doy conferencias sobre liderazgo, una de las preguntas más frecuentes es si los líderes nacen. Siempre respondo: «¡Sí, claro que nacen... No he hallado uno que haya venido al mundo de otra manera!».

Todos nos reímos y entonces respondo la verdadera pregunta: si el liderazgo es algo que una persona posee o no de manera natural.

Aunque es cierto que algunas personas cuentan con más dotes naturales que otras, la capacidad de dirigir es realmente un conjunto de habilidades y casi todas ellas pueden aprenderse y mejorarse. Pero el proceso no ocurre de un día para otro. El liderazgo tiene muchas facetas: respeto, experiencia, fuerza emocional, destreza, disciplina, visión, ímpetu, sentido de la oportunidad, y la lista continúa. Como podemos ver, muchos de los factores que entran en juego en el liderazgo son intangibles. Por eso los líderes necesitan madurar para ser efectivos. Al acercarme a los cincuenta años, comencé a entender con claridad los múltiples aspectos del liderazgo.

LAS CUATRO FASES DE CRECIMIENTO DEL LIDERAZGO

Ya sea que tengas o no una gran habilidad natural para el liderazgo, éste se desarrollará y progresará, probablemente, de acuerdo con las siguientes cuatro fases:

Fase 1: No sé lo que no sé

La mayoría de las personas no reconocen el valor del liderazgo. Creen que es privativo de unos pocos que están en la cima de la jerarquía corporativa. No tienen idea de las oportunidades que desaprovechan al no aprender a dirigir. Pude entender este punto cuando el director de una universidad me comentó que sólo algunos estudiantes se habían matriculado en un curso sobre liderazgo. ¿Por qué? Porque sólo algunos se consideraban a sí mismos líderes. Si hubieran sabido que el liderazgo es influencia y que, en el transcurso de cada día, la mayoría de los individuos trata usualmente de influir, cuando menos, sobre otras cuatro personas, quizá se les habría despertado el deseo de aprender más sobre el tema. Es lamentable, porque una persona no crece mientras no sepa lo que no sabe.

Fase 2: Sé que no sé

Por lo general, en algún momento de nuestra vida, nos encontramos en una posición de liderazgo y, al mirar a nuestro alrededor, descubrimos que nadie nos sigue. Entonces comprendemos que necesitamos aprender cómo dirigir. Éste es el momento en que el proceso puede comenzar. El primer ministro inglés Benjamin Disraeli comentaba sabiamente: «Ser consciente de que se ignoran ciertos datos es un gran paso hacia el conocimiento».

Los líderes exitosos siempre están aprendiendo. El proceso de aprendizaje es progresivo: es el resultado de la autodisciplina y la perseverancia.

Eso me sucedió cuando ocupé mi primera posición de liderazgo en 1969. Después de haber sido capitán de equipos deportivos toda la vida y presidente de la organización estudiantil de la universidad, me creía ya un líder. Pero cuando traté de dirigir a las personas en el mundo real, me enfrenté con la amarga verdad. Eso me movió a comenzar a reunir información y a aprender de ella. También se me ocurrió otra idea: escribí a los diez máximos líderes en mi campo y les ofrecí cien dólares por media hora de su tiempo para hacerles preguntas. (Ésa era una gran cantidad de dinero para mí en 1969). Durante los años que siguieron, mi esposa Margaret y yo, fuimos de vacaciones a los lugares cercanos donde ellos vivían, y aquellos hombres compartieron su sabiduría conmigo y aprendí de ellos como no podría haberlo hecho de otro modo.

Fase 3: Crezco y sé, y se sabe que sé

Cuando uno reconoce su falta de capacidad y comienza a practicar cada día la disciplina de crecimiento personal en el liderazgo, comienzan a suceder cosas emocionantes.

Tiempo atrás, durante un seminario, noté la presencia de un perspicaz jovencito de diecinueve años llamado Brian, que tomaba notas ávidamente. Hablé con él varias veces durante los intermedios. Cuando me tocó enseñar la Ley del Proceso, le pedí que se pusiera de pie, de modo que pudiera hablarle mientras todos escuchaban. Le dije: «Brian, te he observado y estoy muy impresionado por el intenso deseo que tienes de aprender, investigar y crecer. Quiero decirte un secreto que cambiará tu vida». Todos en el auditorio parecieron inclinarse hacia adelante. «Creo que dentro de unos veinte años serás un gran líder y deseo animarte a que te conviertas de por vida en un estudiante de liderazgo. Lee libros y sigue asistiendo a seminarios. Y siempre que encuentres una verdad o una cita valiosa, guárdala en tu archivo para el futuro».

«No será algo fácil» agregué, «pero en cinco años, verás el progreso a medida que tu influencia aumente. En diez años, desarrollarás una competencia que hará tu liderazgo altamente efectivo. Y en veinte años, cuando tengas sólo treinta y nueve, si has continuado aprendiendo y creciendo, otros probablemente comenzarán a pedirte que les enseñes. Brian, puedes ser un gran líder, pero no ocurrirá en un día. Comienza a pagar el precio ahora».

Lo que era verdad respecto de Brian, también es verdad respecto de ti. Comienza a desarrollar tu liderazgo hoy y algún día experimentarás los efectos de la Ley del Proceso.

Fase 4: Sigo adelante sencillamente por lo que sé

Uno puede ser bastante efectivo como líder cuando está en la fase 3, pero debe pensar cada paso que da. Cuando llegas a la fase 4, tu capacidad para ser líder se vuelve casi automática. En ese momento, la recompensa se vuelve inmensa. Pero la única manera de llegar allí es obedecer a la Ley del Proceso.

Para liderar mañana, aprende hoy

El liderazgo se desarrolla día a día, no en un solo día: ésta es la realidad que dicta la Ley del Proceso. Lo bueno es que nuestra capacidad de liderazgo no es estática. Independientemente de dónde hemos comenzado, podemos mejorar. Esto es cierto aun para aquellas personas que se han destacado en el escenario mundial del liderazgo.

La lucha por abrirse camino

Un viejo adagio dice: «Los campeones de boxeo no se hacen campeones en el cuadrilátero; allí sólo obtienen el reconocimiento». Es cierto. Si queremos ver dónde se desarrolla alguien como campeón, debemos fijarnos en su rutina diaria. El ex campeón de pesos pesados Joe Frazier expresó: «Se puede trazar un plan de pelea o un plan de vida. Pero cuando comienza la acción, uno depende de sus reflejos. Allí se manifiesta lo hecho». El boxeo es una buena analogía del desarrollo del liderazgo, porque depende de la preparación diaria. Aun cuando una persona posea talento natural, debe entrenarse para llegar a tener éxito.

Un hombre de acción

Theodore Roosevelt, presidente de Estados Unidos en la primera década del siglo veinte, fue tanto física como mentalmente, uno de los líderes norteamericanos más fuertes. Sin embargo, de niño era débil y muy enfermizo, padecía de un asma que lo debilitaba, no tenía buena vista y era extremadamente delgado. Sus padres no estaban seguros de que lograra sobrevivir.

A los doce años, su padre le dijo: «Posees la mente, pero no el cuerpo y, sin la ayuda del cuerpo, la mente no puede ir tan lejos como debería. Debes desarrollar tu cuerpo». Así lo hizo. Comenzó a dedicar tiempo cada día a desarrollar tanto su cuerpo como su mente y lo hizo durante el resto de su vida. Levantaba pesas, caminaba, esquiaba, remaba, montaba a caballo y boxeaba. En la época en que se graduó en Harvard, ya se hallaba listo para abordar el mundo de la política.

El éxito no surgió de la noche a la mañana

Roosevelt no llegó tampoco a ser un gran líder de un día para otro. Su camino hacia la presidencia fue un lento y continuo crecimiento. Mientras servía en varios puestos, desde jefe de policía de la ciudad de Nueva York hasta presidente de Estados Unidos, siguió aprendiendo y creciendo. Vivió de acuerdo con la Ley del Proceso.

La lista de los logros de Roosevelt es notable. Bajo su liderazgo, Estados Unidos surgió como potencia mundial. Ayudó a que el país desarrollara una armada de primera clase, logró que se construyera el Canal de Panamá, negoció la paz entre Rusia y Japón y ganó el Premio Nobel de la Paz. Siempre fue un hombre de acción: cuando completó su período como presidente en 1909, inmediatamente viajó a África para dirigir una expedición científica.

El 6 de enero de 1919, Theodore Roosevelt murió mientras dormía. El entonces vicepresidente Marshall dijo: «La muerte tuvo que sorprenderlo durmiendo, porque si Roosevelt hubiera estado despierto, le habría presentado batalla». Hasta el último momento, trató de aprender y de superarse. Todavía practicaba la Ley del Proceso.

Si deseas ser un líder, ten la certeza de que puedes lograrlo. Todo el mundo tiene el potencial, pero requiere perseverancia. El liderazgo no se desarrolla en un día. Lleva toda la vida.

Parte II
Las características de un líder

3
¿Cómo puedo llegar a autodisciplinarme?

> *La primera persona a quien diriges eres tú mismo.*

El camino hacia la cima es difícil. Pocos llegan a ser considerados los mejores en su trabajo. Y son aún menos aquellos considerados los mejores que jamás hayan existido.

Uno de los más destacados jugadores de fútbol americano, Jerry Rice, ha sido un ejemplo de esto. Físicamente, fue dotado de dones increíbles; sin embargo, por sí solos no lo hicieron grande. La verdadera clave de su éxito ha sido su autodisciplina. Trabajó y se preparó como nadie en el fútbol profesional... cada día.

Como jugador, se hizo famoso por su habilidad para escalar a toda velocidad una escarpada senda de cuatro kilómetros en un parque de San Carlos, California, como parte regular de su programa de entrenamiento. Aun fuera de la temporada, mientras otros jugadores estaban de pesca o descansando, Rice realizaba su rutina, desde las siete de la mañana hasta el mediodía.

«Para Jerry, el fútbol dura los doce meses del año», dijo uno de sus entrenadores. «Nació para eso, y sin embargo se esfuerza. Eso distingue lo bueno de lo grande.»

No importa cuán dotado sea un líder, sus dotes nunca alcanzarán su máximo potencial sin la autodisciplina.

UNA DIRECCIÓN DISCIPLINADA

No importa cuán dotado sea un líder, sus dotes nunca alcanzarán su máximo potencial sin la aplicación de la autodisciplina. Ésta permite que un líder alcance el nivel más elevado y es la clave para un liderazgo duradero.

A fin de llegar a ser un líder para quien la autodisciplina sea una ventaja, sigue estos puntos de acción:

1. Desafía tus excusas

Para desarrollar una vida disciplinada, una de tus primeras tareas debe ser desafiar y eliminar toda tendencia a ponerte excusas. Como dijo el escritor francés François de La Rochefoucauld: «Casi todas nuestras faltas son más perdonables que los métodos que ideamos para esconderlas». Si tenemos algunas razones por las cuales no podemos autodisciplinarnos, éstas seguramente son sólo un puñado de excusas que debemos desafiar si deseamos pasar al siguiente nivel como líderes.

2. Suprime las recompensas hasta terminar la tarea

El autor Mike Delaney afirmó sabiamente: «Todo negocio o industria que otorgue igual recompensa a los holgazanes y a los superactivos, tarde o temprano, se encontrará con más holgazanes que superactivos». Si uno carece de autodisciplina, puede haber caído en el hábito de comer el postre antes que los vegetales.

Esta narración ilustra el poder de aplazar las recompensas. Una pareja llevaba un par de días en un campamento, cuando una familia llegó al sitio contiguo al de ellos. Tan pronto como su vehículo deportivo se detuvo, los padres y tres muchachos saltaron de él. Uno de los chicos bajó rápidamente los enseres, mientras los otros dos armaban sin demora las carpas o tiendas, que quedaron listas en quince minutos.

La pareja estaba maravillada. «¡Esto es verdadero trabajo en equipo!», dijo con admiración el hombre.

«Nuestro método es sencillo», contestó el padre. «Nadie puede comer hasta que el campamento esté listo».

3. Concéntrate en los resultados

Si te concentras en las dificultades del trabajo en lugar de hacerlo en los resultados o en las compensaciones, es probable que te desalientes. Así se fomenta la autocompasión en vez de la autodisciplina. La próxima vez que te enfrentes a una tarea de cumplimiento obligado, y estés pensando en hacer lo que es cómodo en lugar de pagar el precio necesario, cambia tu enfoque: mira los beneficios que trae el hacer lo correcto y lánzate.

Si sabes que tienes talento y has experimentado mucha acción pero pocos resultados concretos, te puede estar faltando autodisciplina.

El escritor H. Jackson Brown expresó con mucha agudeza: «El talento sin disciplina es como un pulpo en patines. Se mueve mucho, pero nunca sabes si lo hace hacia adelante, hacia atrás o hacia los lados. Si crees que tienes talento y has vivido mucha acción pero pocos resultados concretos, puedes estar careciendo de autodisciplina».

Mira tu agenda de la semana pasada. ¿Cuánto tiempo dedicaste a actividades regulares y disciplinadas? ¿Hiciste algo por crecer y mejorar profesionalmente? ¿Participaste en actividades saludables? ¿Dedicaste parte de tus ingresos al ahorro o a la inversión? Si has estado postergando esas cosas para más tarde, es posible que necesites mejorar tu autodisciplina.

4

¿A qué debo dar prioridad en mi vida?

> *La disciplina para establecer prioridades
> y la capacidad de trabajar hacia una meta fijada
> son esenciales para el éxito de un líder.*

El éxito puede definirse como la progresiva realización de una meta predeterminada. Esta definición nos dice que la disciplina para establecer las prioridades y la capacidad de trabajar hacia una meta fijada son esenciales para el éxito de un líder. En efecto, creo que ésta es la clave del liderazgo.

Hace muchos años, mientras estudiaba Ciencias Comerciales, aprendí acerca del Principio de Pareto o Principio 20/80 y comencé a aplicarlo a mi vida. Años después, me di cuenta de que se trataba de la herramienta más útil para determinar las prioridades tanto en la vida de cualquier persona como de una organización.

El principio de Pareto: el principio 20/80

El 20% de tus prioridades darán lugar al 80% de tu producción. Si empleas tu tiempo, energía, dinero y personal en el 20% de tus prioridades principales, ocurrirá lo que se ve en la figura:

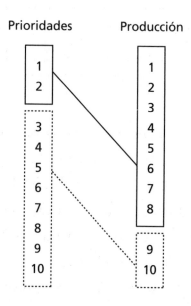

Las líneas continuas en esta ilustración del Principio 20/80 representan a una persona u organización que invierte tiempo, energía, dinero y personal en las prioridades más importantes. El resultado muestra la productividad aumentada cuatro veces. Las líneas de puntos representan a una persona u organización que emplea tiempo, energía, dinero y personal en prioridades secundarias. El resultado es un aumento muy pequeño.

EJEMPLOS DEL PRINCIPIO DE PARETO

Tiempo	El 20% de nuestro tiempo produce un 80% de los resultados.
Asesoría	El 20% de las personas utilizan el 80% de nuestro tiempo.
Productos	El 20% de los productos originan el 80% de las ganancias.
Lectura	El 20% de los libros contienen el 80% del contenido.
Empleo	El 20% de nuestro trabajo nos da el 80% de nuestra satisfacción.
Charla	El 20% de la presentación produce el 80% del impacto.
Donaciones	El 20% de las personas dará el 80% del dinero.
Liderazgo	El 20% de las personas tomará el 80% de las decisiones.
Excursión	El 20% de las personas se comerá el 80% del alimento.

Todo líder necesita entender el Principio de Pareto en cuanto a la atención a la gente y al liderazgo. Por ejemplo, el 80% del éxito de la compañía se deberá al 20% de las personas. La siguiente estrategia capacitará al líder para incrementar la productividad de una organización.

1. Determinar quiénes son las personas que forman el 20% que más produce.

2. Invertir el 80% del tiempo que se dedicará a las personas en ese 20% que produce más.

3. Invertir el 80% del dinero destinado para desarrollo del personal en el 20% que produce más.

4. Determinar qué 20% del trabajo produce un 80% del resultado y entrenar a un ayudante para realizar el 80% del trabajo menos efectivo. Esto da libertad a los que producen para hacer lo que mejor saben hacer.

5. Pedir al 20% principal que entrene en su trabajo al siguiente 20%.

Recuerda que enseñamos lo que sabemos; reproducimos lo que somos. Como nos hicieron, así concebiremos. Enseño este principio en conferencias sobre liderazgo y con frecuencia me preguntan: «¿Cómo identificamos a ese 20% de influyentes/productores en la organización?». Te sugiero que hagas una lista de cada una de las personas de tu compañía o departamento y luego, ante cada individuo, te preguntes: «¿Si esta persona realizara una acción negativa contra mí o me retirara su apoyo, cuál sería el impacto?». Si crees que sería importante, pon una marca junto al nombre. Si la persona puede ayudarte o dañarte, pero no afectarte en cuanto a tu capacidad para lograr cosas importantes, no pongas la marca. Al terminar, comprobarás que esos nombres marcados conforman entre un 15 o un 20%. Ésas son las relaciones vitales que necesitas desarrollar y a las que debes dar una cantidad adecuada de los recursos necesarios para el crecimiento de tu organización.

ORGANIZAR O AGONIZAR

Recuerda: no se trata solamente de que trabajes esforzadamente sino de que lo hagas con inteligencia. La capacidad de dirigir con éxito tres o cuatro proyectos prioritarios es un deber primordial de todo líder.

Una vida en la cual todo da lo mismo será, al final de cuentas, una vida en la que nada ocurra.

Priorizar tareas

• *Alta Importancia/Gran Urgencia:* Aborda esos proyectos primero.

• *Alta Importancia/Poca Urgencia:* Establece plazos fijos para completar los proyectos e inclúyelos en tu rutina diaria.

• *Baja Importancia/Gran Urgencia:* Descubre maneras rápidas y eficientes para que tu trabajo se complete sin mucha participación tuya. Si es posible, delega esto a un subalterno que pueda hacerlo.

• *Baja Importancia/Poca Urgencia:* Si se trata de un trabajo complicado o monótono, como archivar, por ejemplo, ordénalo en grupos y hazlo en períodos de media hora cada semana, busca a alguien para que lo haga o no lo hagas. Antes de posponer hasta mañana algo que puedes hacer hoy, estúdialo bien. Quizá puedas posponerlo indefinidamente.

Elegir o perder

Cuando se trata de planificar, cada persona es un iniciador o un seguidor. Mi observación es que los líderes tienden a iniciar y los seguidores tienden a reaccionar. Ésta es la diferencia:

LÍDERES	SEGUIDORES
Inician	Reaccionan
Dirigen, toman el teléfono y se ponen en contacto	Escuchan; esperan a que suene el teléfono
Emplean tiempo planeando; anticipan los problemas	Viven día a día; reaccionan frente a los problemas
Invierten tiempo en las personas	Pierden tiempo con la gente
Llenan su agenda de prioridades	Llenan su agenda de solicitudes

EVALUAR O ESTANCARSE

Muchas veces las prioridades no se definen como blanco o negro, sino que se presentan en distintos tonos de gris. Me he dado cuenta de que aquello que uno sabe menos es lo que debe anteponer. Las siguientes preguntas te ayudarán en el proceso de las prioridades:

¿Qué se requiere de mí? Un líder puede renunciar a todo menos a su responsabilidad final. La pregunta que siempre debemos respondernos antes de aceptar un nuevo empleo es «¿qué se exige de mí?». En otras palabras, ¿qué debo hacer, que nadie sino yo puede

47

hacerlo? Habrá muchas responsabilidades de diferentes niveles en tu puesto, pero sólo habrá algunas que exijan que seas el único que las haga. Distingue entre lo que tienes que hacer y lo que puedes delegar.

¿Qué me proporciona mayor rendimiento? El esfuerzo que inviertes debe estar al nivel de los resultados que esperas. Debes hacerte siempre esta pregunta: «¿Estoy haciendo lo que sé hacer mejor y obteniendo buenos resultados para mi organización?» Existen a este respecto tres problemas muy comunes:

- *Abuso.* Muy pocos empleados hacen demasiado.
- *Desuso.* Demasiados empleados hacen demasiado poco.
- *Uso indebido.* Demasiados empleados hacen lo que no deben.

¿Qué me recompensa más? La vida es muy corta para que no sea divertida. Hacemos mejor nuestro trabajo cuando lo disfrutamos. En una ocasión hablé a un grupo de líderes sobre este principio. El título de mi conferencia era: «Acepta ese empleo y disfrútalo». Les sugerí que encontraran algo que les gustara tanto

hacer que se sintieran contentos de hacerlo gratis. Luego, que aprendieran a hacerlo tan bien que las personas se sintieran felices de pagarles. Uno disfruta si hace una contribución al mundo.

El éxito en el trabajo aumentará notablemente si las tres R –Requisito, Rendimiento y Recompensa– son similares. En otras palabras, si actúo de acuerdo a mis prioridades, si los requisitos de mi trabajo son iguales a las fuerzas que me dan el más alto rendimiento y si hacerlo me produce gran placer, entonces, lograré el éxito.

PRINCIPIOS DE LAS PRIORIDADES
Las prioridades nunca permanecen en el mismo lugar

Las prioridades continuamente cambian y exigen atención y, si están bien establecidas, siempre se encuentran en «primer plano».

Para mantener las prioridades en su lugar:

• Evalúa. Revisa cada mes las tres R: Requisito, Rendimiento y Recompensa.

• Elimina. Pregúntate: «¿Qué estoy haciendo que puede hacer otro?»

• Calcula. ¿Cuáles son los proyectos principales que estoy llevando a cabo este mes y cuánto tiempo me exigen?

No sobreestimes la falta de importancia de prácticamente todo

Me gusta mucho este principio. Es un poco exagerado, pero debo mencionarlo. William James dijo que el arte de ser sabio es «el arte de conocer qué se me pasó por alto». Lo insignificante nos roba mucho de nuestro tiempo. Demasiadas personas viven para lo que no deben vivir.

El doctor Anthony Campolo menciona un estudio sociológico en el cual a cincuenta personas mayores de noventa y cinco años se les hizo esta pregunta: «Si pudiera vivir su vida otra vez, ¿qué haría de manera diferente?» Tres respuestas se repitieron y dominaron el resultado del estudio:

• Si tuviera que hacerlo otra vez, reflexionaría más.

• Si tuviera que hacerlo otra vez, me arriesgaría más.

• Si tuviera que hacerlo otra vez, haría más cosas que permanecieran después de mi muerte.

A una joven violinista se le preguntó el secreto de su éxito. Respondió: «negligencia deliberada». Y explicó: «Cuando estaba en la escuela, muchas cosas exigían mi tiempo. Después del desayuno, hacía mi cama, ordenaba mi cuarto, y hacía cuanto llamaba mi atención. Después, me apresuraba a realizar mi práctica de violín. Pero me di cuenta de que no progresaba como pensaba que debía, de modo que alteré el orden de mis tareas. Hasta no completar el tiempo de mi práctica, dejaba deliberadamente de lado todo lo demás. Creo que mi éxito se debe en parte a aquel programa de negligencia deliberada».

LO BUENO ES ENEMIGO DE LO MEJOR

La mayoría de las personas pueden establecer prioridades cuando se enfrentan con asuntos correctos o erróneos. El reto surge cuando nos enfrentamos con dos buenas opciones. ¿Qué debemos hacer ahora? ¿Qué sucede si ambas opciones encajan cómodamente dentro de los requisitos, el rendimiento y la recompensa de nuestro trabajo?

Cómo quebrar el empate entre dos buenas opciones

• Pregúntale a tu asistente o a tus compañeros de trabajo cuál prefieren.

• ¿Puedes encomendarle una de las opciones a otra persona?

• ¿Qué opción sería más beneficiosa para el cliente? Muchísimas veces somos como aquel comerciante que estaba tan empeñado en mantener limpia la tienda que nunca abría la puerta. ¡La verdadera razón de instalar una tienda es que los clientes la visiten, no limpiarla!

• Toma tu decisión basándola en el objetivo de la organización.

DEMASIADAS PRIORIDADES NOS PARALIZAN

Todos hemos visto alguna vez nuestro escritorio lleno de recordatorios y papeles mientras, al mismo tiempo, sonaba el teléfono y se abría la puerta. ¿Recuerdas el escalofrío que sentiste?

William H. Hinson nos explica por qué los entrenadores de animales usan una banqueta cuando entran en la jaula de un león. Tienen un látigo y un arma a su lado, por supuesto, pero invariablemente llevan una banqueta. Dice Hinson que ése es el instrumento más importante del entrenador. Éste sostiene la banqueta por el espaldar y empuja las patas hacia la cara de la fiera. Los que saben afirman que, cuando el animal trata de concentrar su mirada en las cuatro patas al mismo tiempo, le sobreviene una especie de parálisis y se vuelve manso y débil debido a que su atención está fragmentada. (Ahora tendremos más empatía con los leones.)

Una opción para no parecernos a esos leones podría ser, si estamos sobrecargados de trabajo, enumerar las prioridades en una hoja de papel y llevarla a nuestro jefe o a un compañero y ver qué escogen como prioridades.

Al final de cada mes, planeo y escribo mis prioridades para el mes siguiente. Cuando algo tiene suma importancia o suma urgencia, lo coloco primero. Los verdaderos líderes han aprendido a decir no a lo bueno, a fin de decir sí a lo mejor.

Cuando las pequeñas prioridades exigen mucho de nosotros, surgen grandes problemas.

Robert J. McKain dijo: «No logramos la mayoría de nuestros objetivos principales porque gastamos primero nuestro tiempo en cuestiones secundarias».

La eficiencia es el fundamento de la supervivencia. La efectividad es el fundamento del éxito.

LAS FECHAS LÍMITE Y LAS EMERGENCIAS NOS OBLIGAN A ESTABLECER PRIORIDADES

Según la Ley de Parkinson, si tienes que escribir sólo una carta, te tomará todo el día hacerlo. Si debes escribir veinte, también lo harás en un día.

¿Cuál es el momento de mayor efectividad en nuestro trabajo? ¡La semana antes de las vacaciones! ¿Por qué no podemos conducir siempre nuestra vida como lo hacemos la semana antes de dejar la oficina, tomando decisiones, limpiando el escritorio, contestando las llamadas? Bajo condiciones normales somos eficientes (hacemos las cosas bien), pero cuando aumenta la presión del tiempo o surgen las emergencias, logramos ser efectivos (hacemos las cosas debidas). La eficiencia es el fundamento de la supervivencia. La efectividad es el fundamento del éxito.

La noche del 14 de abril de 1912 el Titanic chocó contra un témpano de hielo en el Atlántico; su hundimiento causó gran pérdida de vidas. Una mujer que ocupó un sitio en uno de los botes salvavidas preguntó si podía regresar a su camarote para recoger algo y le concedieron sólo tres minutos. Una vez allí, no se ocupó de sus joyas, sino que buscó tres naranjas y regresó rápidamente a su sitio en el bote.

Unas horas antes, habría sido absurdo pensar que hubiera elegido una canasta de naranjas ni siquiera a cambio de un pequeño diamante, pero las circunstancias habían transformado de pronto todos sus valores. La emergencia había puesto en claro sus prioridades.

Con mucha frecuencia aprendemos demasiado tarde lo que es verdaderamente importante

Paul Tsongas, senador de Estados Unidos, que había sido mencionado como futuro candidato a la presidencia o vicepresidencia, anunció que se retiraría. Unas semanas antes de su anuncio, Tsongas se había enterado de que sufría de un cáncer linfático incurable. La enfermedad no forzó a Tsongas a salir del senado, pero sí a encarar la realidad de su propia mortalidad.

Como ya no sería capaz de realizar todo lo que hubiera querido hacer, se preguntó qué cosas deseaba hacer en el tiempo que le quedaba. Decidió que lo que más deseaba en la vida, era estar con su familia. Lo prefería a redactar leyes o a que su nombre apareciera en los libros de historia.

Un amigo le escribió una nota para felicitarlo por haber establecido esa prioridad. La nota decía así: «Jamás nadie en su lecho de muerte ha dicho: "Ojalá hubiera pasado más tiempo en mi trabajo"».

5
¿Cómo desarrollo la confianza en mí?

> *La confianza es el fundamento del liderazgo.*

Una de las lecciones más importantes que un líder puede aprender es cómo funciona la confianza. Para mí, es un poco parecido a ganar y gastar el cambio de bolsillo. Cada vez que uno toma una buena decisión de liderazgo, pone cambio en su bolsillo. Cada vez que uno toma una mala decisión, debe pagar con algo de ese cambio a la gente.

Cada líder tiene cierta cantidad de cambio en su bolsillo cuando asume una nueva posición de liderazgo. A partir de allí, lo acrecienta o lo gasta. Si toma una mala decisión tras otra, sigue gastando el cambio. Un día buscará en su bolsillo y verá que no tiene más.

No importa si tu error fue grande o pequeño. Cuando no tienes más cambio, quedas fuera como líder.

La historia de los éxitos y fracasos de un líder marca una gran diferencia en su credibilidad. Tu gente sabe cuándo cometes errores. El verdadero problema es si lo reconoces. Si lo haces, rápidamente puedes volver a ganarte la confianza de tu personal. He aprendido por propia experiencia que, cuando se trata de liderazgo, no puedes tomar atajos, no importa cuánto tiempo hayas estado dirigiendo gente.

La confianza es el fundamento del liderazgo

Hay tres cualidades que todo líder debe poseer para ganarse la confianza de la gente: competencia, comunicación y carácter. La gente te perdonará equivocaciones ocasionales basadas en la capacidad, especialmente si puede ver que aún estás creciendo como líder. Pero no confiará en alguien que sufre deslices en su carácter. En esas cuestiones, aun los lapsus ocasionales son letales. Craig Weatherup, ex presidente de Pepsi Cola, ha dicho que «la gente tolera errores sinceros, pero si uno viola su confianza, será muy difícil volver a conquistarla. Por lo tanto, es necesario considerar la confianza como el bien más preciado. Se puede engañar a un jefe, pero nunca a los colegas o subordinados».

El general H. Norman Schwarzkopf señaló: «El liderazgo es una potente combinación de estrategia y carácter. Pero si debe faltar alguno de estos dos componentes, que sea la estrategia».

En el liderazgo, el carácter y la credibilidad siempre van de la mano. El carácter hace posible la confianza. Y la confianza hace posible el liderazgo.

EL CARÁCTER COMUNICA

El carácter de un líder transmite muchas cosas a sus seguidores:

El carácter comunica coherencia

En la vida diaria, no se puede contar con líderes sin fuerza interior, a causa de su tendencia a estar siempre realizando cambios.

Si las personas a tu cargo no saben qué esperar de ti como líder, en algún momento, dejarán de buscarte para que las dirijas.

Cuando el carácter de un líder es fuerte, la gente confía en él y en su capacidad para desplegar su potencial.

El carácter comunica potencial

John Morley observaba: «Ningún hombre puede ascender más allá de las limitaciones de su carácter». Esto es especialmente cierto cuando se trata de liderazgo. Cuando el carácter del líder es fuerte, la gente confía en él y en su capacidad para desplegar su potencial. Eso no sólo les da a sus seguidores esperanza respecto del futuro, sino que promueve una gran fe en ellos mismos y en la organización.

El carácter comunica respeto

Si alguien no tiene fortaleza interior, no puede ganarse el respeto de la gente. Y el respeto es absolutamente esencial para un liderazgo duradero. ¿Qué pueden hacer los líderes para ganar respeto? Tomar sabias decisiones, reconocer sus errores y hacer lo mejor para sus seguidores y la organización, más allá de sus intereses personales.

Cuando un líder quebranta la confianza, destruye su capacidad para dirigir. Recuerdo una lección que impartía mi amigo Bill Hybels en un seminario que dictábamos llamado «Liderazgo y comunicación para cambiar vidas». La idea más importante que Bill presentó tenía que ver con el hecho de que los líderes de Estados Unidos no reconocieron públicamente los terribles errores que habían cometido con respecto a la guerra de Vietnam. Sus acciones destruyeron la confianza del pueblo norteamericano y el país ha sufrido las consecuencias desde entonces.

Ningún líder puede quebrantar la confianza de su gente y mantener el mismo nivel de influencia. La confianza es el fundamento del liderazgo. Si violamos la confianza de la gente, nuestro liderazgo se ha terminado.

6
¿Cómo plasmo efectivamente una visión?

> *Sólo puedes medir lo que puedes ver.*

Uno de los grandes soñadores del siglo veinte fue Walt Disney. Alguien que haya podido crear el primer dibujo animado con sonido y el primer filme de largometraje con dibujos animados es definitivamente un visionario. Pero la obra maestra de visión que tuvo Walt Disney fueron Disneyland y DisneyWorld. Y la chispa que motivó esa visión vino del lugar menos pensado.

Cuando las dos hijas de Disney eran pequeñas, él las llevaba a un parque de diversiones que les gustaba mucho a todos, en los alrededores de Los Ángeles. A él le atraía especialmente el carrusel. Cierta vez, al aproximarse, vio una mancha de imágenes brillantes que daba vueltas al compás de una vibrante música de órgano. Pero cuando se acercó más y el carrusel se detuvo, comprobó que su vista lo había engañado. Los caballitos tenían rajaduras, estaban mal pintados y sólo los del círculo exterior se movían.

El desencanto le inspiró una gran visión. Con los ojos de su mente pudo ver un parque de diversiones donde la ilusión no se evaporase, donde los niños y los adultos pudieran disfrutar una atmósfera de fantasía sin el aspecto degradado que acompaña a algunos circos ambulantes. Ese sueño se convirtió en Disneyland.

OBSERVA ANTES DE LIDERAR

La visión es todo para un líder. Es totalmente indispensable. ¿Por qué? Porque la visión ejerce liderazgo sobre el líder. La visión dibuja el blanco al que debe apuntar, enciende el fuego que hay en él y lo impulsa hacia adelante. Pero también enciende el fuego en quienes siguen al líder. Un líder sin visión no va a ninguna parte. En el mejor de los casos, viaja en círculos.

Para examinar una visión y ver cómo forma parte de la vida de un buen líder, debes entender lo siguiente:

1. *La visión comienza en tu interior*

Cuando doy conferencias, a veces me piden que dé una visión para determinada organización, pero me sería imposible hacerlo. No se puede comprar, suplicar o pedir prestada una visión: debe venir desde adentro. Para Disney, la visión no fue nunca un problema; debido a su creatividad y deseo de excelencia, siempre vio lo que podría ser.

Si te falta una visión, busca en tu interior. Extráela de tus dones y deseos naturales. Fíjate en tu vocación, si la tienes. Y si aún no sientes una propia, asóciate con un líder cuya visión concuerde con tu parecer. Esto fue lo que hizo Roy, el hermano de Walt Disney. Él era un buen hombre de negocios y un líder que podía hacer que las cosas sucedieran, pero Walt suministró la visión para ambos. Juntos formaron un equipo increíble.

2. *La visión surge de tu propia historia*

La visión no es una cualidad mística, como algunas personas parecen creer. Surge del pasado de un líder y de la historia de la gente que lo rodea. Esto no es sólo cierto para el caso de Disney, lo es para todos los líderes. Si hablamos con cualquier líder, es muy probable que descubramos hechos clave en su pasado que fueron instrumentos para la formación de su visión.

3. La visión llena las necesidades de otros

La verdadera visión es de largo alcance. Va más allá de lo que un individuo puede realizar. Y si tiene verdadero valor, hace algo más que incluir a otros: añade valor a otros. Si nuestra visión no es válida para otras personas, probablemente sea muy pequeña.

4. La visión te ayuda a obtener recursos

Uno de los más valiosos beneficios de la visión es que actúa como un imán que atrae, desafía y une a las personas. Asimismo logra recursos financieros y de otras clases. Cuanto más grande sea la visión, mayor será el número de ganadores que tiene el potencial de atraer. Mientras más desafiante sea la visión, más difícil la batalla de los participantes por alcanzarla. Edwin Land, el fundador de Polaroid, recomendaba:

«Lo primero es enseñar a la gente a sentir que la visión es muy importante y casi imposible. Eso impulsa a los ganadores».

CONCÉNTRATE EN ESCUCHAR

¿De dónde viene la visión? Para hallarla, hay que llegar a ser un buen oyente. Hay que estar atento a varias voces.

La voz interior

La visión comienza en el interior de uno. ¿Sabes cuál es tu misión en la vida? ¿Qué conmueve tu corazón? ¿Con qué sueñas? Si lo que buscas no surge de un deseo profundo –de lo más hondo de tu ser y de tus creencias–, no podrás lograrlo.

La voz descontenta

¿De dónde viene la inspiración para las grandes ideas? De darse cuenta de qué es lo que no da resultado. El descontento con el *status quo* es un gran catalizador para una visión. ¿Eres complaciente contigo mismo o anhelas cambiar el mundo? Ningún gran líder en la historia ha peleado por impedir el cambio.

La voz del éxito

Nadie puede lograr grandes cosas por sí solo. Para hacer realidad una gran visión, se necesita un buen equipo. Pero también se necesitan buenos consejos de alguien que nos lleve la delantera en esa cuestión. Si deseas conducir a otros hacia la grandeza, busca un mentor. ¿Tienes un consejero que pueda ayudarte a definir más claramente tu visión?

Piensa en lo que quisieras que cambiara en el mundo que te rodea.

La voz más alta

Si bien es verdad que la visión debe venir de adentro, uno no debe dejarla confinada a sus limitadas facultades. Una visión verdaderamente valiosa debe incluir la idea de la trascendencia, de un Dios que conoce nuestras plenas capacidades. Al buscar la visión, ¿hemos mirado más allá de nosotros mismos, más allá del curso de nuestra propia vida? Si no, es posible que estemos desaprovechando nuestro verdadero potencial y lo mejor de la vida.

Para mejorar nuestra visión, debemos hacer lo siguiente:

Una evaluación. Si hemos pensado antes sobre la visión de nuestra vida y la hemos puesto en palabras, evaluemos cómo la estamos desarrollando. Podemos hablar con varias personas clave –cónyuge, amigos cercanos y empleados clave– y pedirles que nos digan, según ellos, cuál es nuestra visión. Si pueden expresarla, es probable que ya estemos viviéndola.

Un examen profundo. Si no hemos trabajado mucho por nuestra visión, empleemos las próximas semanas o meses pensando en ella. Consideremos aquello que nos impacta profundamente. ¿Qué nos hace llorar?, ¿qué nos hace soñar?, ¿qué nos da energía?

Puedes pensar también en qué querrías que cambiara en el mundo que te rodea. ¿Qué ves que no es, pero que debería ser? Una vez que estas ideas se vuelvan más claras, escríbelas y habla con ese consejero sobre ellas.

Cuando buceas en tu corazón y en tu alma en busca de una visión, ¿qué ves?

PARTE III
El impacto de un líder

7
¿Por qué es importante la influencia?

> *La verdadera medida del liderazgo es la influencia.*
> *Nada más y nada menos.*

Si uno no tiene influencia, jamás podrá ser líder de otros. ¿Cómo puede entonces hallarse y medirse la influencia? Respondo a esa pregunta con una anécdota.

A fines del verano de 1997, la gente quedó impresionada por dos hechos que ocurrieron en un intervalo de menos de una semana: la muerte de la princesa Diana y de la Madre Teresa. Superficialmente, estas dos mujeres no pudieron ser más diferentes. Una joven princesa de Inglaterra, alta y encantadora, que se movía en la más alta sociedad y una monja católica, pequeña y de edad avanzada, nacida en Albania, Premio Nobel de la Paz, que servía a los más pobres de los pobres en Calcuta, India.

A pesar de sus diferencias, el impacto de ambas sobre los demás fue notablemente similar. En una encuesta de 1996, la princesa Diana y la Madre Teresa fueron votadas como las dos personas más compasivas del mundo. Esto no ocurre a menos que uno logre ejercer una gran influencia. ¿Cómo alguien como Diana llegó a ser considerada a la par de la Madre Teresa? La respuesta es que ella demostró el poder de la Ley de la Influencia.

Diana conquistó la imaginación del mundo

En 1981, cuando se casó con el príncipe Carlos de Inglaterra, Diana llegó a ser la persona de quien más se hablaba en el mundo. Cerca de mil millones de personas contemplaron la boda televisada desde la Catedral de San Pablo. Y desde ese día, la gente no se cansaba de escuchar noticias sobre ella. Estaban intrigados con esa plebeya que una vez fuera maestra de niños muy pequeños. Al principio, parecía demasiado tímida y totalmente abrumada por toda la atención que ella y su esposo recibían. Al comienzo de su matrimonio, algunos reportajes señalaban que Diana no era feliz desempeñando las tareas que se esperaban de ella como princesa. Sin embargo, con el tiempo se adaptó a su nuevo papel. Cuando comenzó a viajar y a representar a la familia real en todo el mundo en diversas funciones, se hizo el propósito de servir a otros y reunir fondos para numerosas obras de caridad. Durante el proceso, entabló muchas relaciones importantes con políticos, organizadores de causas humanitarias, artistas y jefes de estado.

Diana comenzó convocando a la gente para causas tales como las investigaciones médicas sobre el SIDA, la atención a las personas leprosas y la prohibición de minas terrestres. Su influencia logró atraer la atención de los líderes mundiales a esta última causa. Patrick Fuller, de la Cruz Roja británica, dijo: «La atención que ella despertó hacia el tema colocó la cuestión en la agenda mundial».

APARICIÓN DE UN LÍDER

Al principio, el título nobiliario de Diana le había proporcionado sólo una plataforma para dirigirse a otros, pero pronto se convirtió en una persona de influencia por derecho propio.

En 1996, cuando se divorció del príncipe Carlos, perdió su título, pero eso no disminuyó en nada su impacto sobre otros. Al contrario, su influencia continuó en aumento mientras que la de su ex esposo y su familia declinaban, a pesar de sus títulos.

Irónicamente, aun después de muerta, Diana continuó influyendo en otros. Su funeral se transmitió por televisión y radio, y fue traducido a cuarenta y cuatro idiomas. La audiencia se calcula que alcanzó una cifra de 2.500 millones de personas, más del doble de las que vieron su boda.

El verdadero liderazgo no puede conferirse como premio, nombramiento o asignación. Sólo surge de la influencia.

A la princesa Diana se la ha calificado de muchas maneras, pero jamás se la describió como líder. Sin embargo, lo fue. Finalmente, lograba que las cosas sucedieran porque ella ejercía una influencia importante y el liderazgo es influencia, nada más y nada menos.

CINCO MITOS SOBRE EL LIDERAZGO

Existen muchos conceptos equivocados y mitos sobre los líderes y el liderazgo. He aquí los cinco más comunes:

1. *El mito de la administración*

Un concepto erróneo muy extendido es que dirigir y administrar son una misma cosa. Hasta hace pocos años, la administración era el tema desarrollado por los libros que decían hablar de liderazgo.

La principal diferencia es que liderazgo significa influir sobre las personas para que le sigan a uno, mientras que la administración se concentra en mantener sistemas y procesos. La mejor manera de probar si una persona puede dirigir antes que administrar es pedirle que cree un cambio positivo. Los administradores pueden mantener la dirección, pero no cambiarla. Para movilizar a las personas hacia una nueva dirección se necesita influencia.

2. *El mito de la empresa*

Frecuentemente, las personas dan por sentado que todos los vendedores y empresarios son líderes. Pero no es siempre el caso. Hace años, en televisión, aparecían numerosos anuncios sobre diversos artículos para la cocina. Esos productos eran las mejores ideas de Ron Popeil, un empresario calificado como el vendedor del siglo. Aunque era emprendedor, innovador y triunfador, eso no le convertía en líder. Las personas compraban lo que él ofrecía, pero no le seguían. Podía ser capaz de persuadir a la gente momentáneamente, pero no ejercía sobre ella una influencia prolongada.

3. El mito del conocimiento

Ya comenté al principio que Sir Francis Bacon decía: «El conocimiento es poder». La mayoría de las personas, creyendo que el conocimiento es la esencia del liderazgo, dan por sentado que quienes poseen conocimiento e inteligencia son líderes. Sin embargo, esto no es automáticamente cierto. Podemos visitar cualquier universidad importante y encontrar científicos y filósofos brillantes que poseen una capacidad para pensar fuera de lo normal, pero su capacidad para ser líderes es tan baja que no aparece siquiera registrada. Un alto cociente intelectual no necesariamente equivale a liderazgo.

4. El mito del pionero

Otro concepto equivocado es creer que cualquiera que marcha al frente de una multitud es un líder. Ser el primero no siempre equivale a dirigir. Por ejemplo,

Sir Edmund Hillary fue el primer hombre que alcanzó la cima del Everest. Desde su histórico ascenso en 1953, mucha gente le admira por el logro de esa conquista, pero eso no le convirtió en un líder. No lo fue siquiera en aquella expedición, ya que el líder en esa ocasión fue John Hunt. Para ser un líder, una persona no sólo debe estar al frente, sino también tener gente detrás de sí que esté intencionalmente, que siga su guía y actúe según su visión.

5. *El mito de la posición*

La peor interpretación del liderazgo es creer que está basado en la posición. Stanley Huffry afirmó: «No es el cargo lo que hace al líder, es el líder quien hace el cargo».

En 1994, en la agencia de publicidad Saatchi & Saatchi, los inversionistas forzaron a la junta directiva a destituir a Maurice Saatchi, presidente de la compañía. ¿Cuál fue el resultado? Varios ejecutivos y muchos de los principales clientes de la compañía, incluyendo British Airways, le siguieron. La influencia de Saatchi era tan grande que su salida causó inmediatamente la caída de las acciones de la compañía.

Lo sucedido fue el resultado de la Ley de la Influencia: Saatchi perdió su título y su posición, pero continuó siendo el líder.

¿Quién es el verdadero líder?

Aprendí el verdadero significado de la Ley de la Influencia cuando acepté mi primer empleo fuera de la universidad, en una pequeña iglesia de la zona rural de Indiana. Fui allí con todos los títulos correctos. Me nombraron pastor principal, que significaba que tenía el cargo y el nombramiento de líder en aquella organización. Poseía el grado universitario adecuado y ya me había ordenado. Además, había sido entrenado por mi padre, que era un excelente pastor y un líder destacado. Esto constituía un currículum impresionante, pero no me convertía en líder. En mi primera reunión con la junta directiva, rápidamente descubrí quién era el verdadero líder de la iglesia. Cuando ocupé mi siguiente puesto tres años después, había aprendido la Ley de la Influencia y había reconocido que ejercer influencia en cualquier organización y ser líder exigían mucho trabajo.

LIDERAZGO SIN APALANCAMIENTO

Hill Hybels, pastor de la iglesia más grande de los Estados Unidos, dice que la iglesia es para él la empresa de más intensivo liderazgo en la sociedad. Muchos hombres de negocios que conozco se sorprenden ante esta declaración, pero creo que tiene razón ¿En qué se basa este criterio? El liderazgo de posición no funciona en las organizaciones voluntarias. Si un líder no tiene influencia es ineficaz. En otras organizaciones, la persona con una posición importante ejerce una gran influencia. En el ejército, los líderes pueden valerse del rango y, si todo lo demás falla, castigan a sus subordinados con prisión. En los negocios, los jefes tienen influencia sobre los sueldos, beneficios y estímulos. La mayoría de los seguidores son muy cooperativos cuando está en juego su subsistencia.

No se puede forzar a formar parte del grupo a quienes componen organizaciones voluntarias. Si el líder no tiene influencia sobre ellos, no lo siguen.

En las organizaciones voluntarias, como las iglesias, lo único que funciona es el liderazgo en su forma más pura. Lo único que los líderes tienen como ayuda es su influencia. No se puede forzar a formar parte del grupo a quienes componen organizaciones voluntarias. Si el líder no tiene influencia sobre ellos, no le seguirán. Si eres un hombre de negocios y deseas saber si las personas que trabajan para ti son capaces de ejercer el liderazgo, puedes enviarlas a realizar un trabajo voluntario en la comunidad. Si logran que las personas las sigan mientras sirven en la Cruz Roja o en una iglesia local, sabrás que tienen influencia y capacidad de liderazgo.

He aquí mi proverbio favorito sobre el liderazgo: «Aquel que piensa que es líder, pero no tiene seguidores, sólo está dando una caminata». Si no podemos influir en otros, no nos seguirán. Y si no nos siguen, no somos líderes. Recuerda que liderazgo es influencia. Nada más y nada menos.

8
¿Cómo funciona la influencia?

> *El verdadero liderazgo consiste en ser la persona*
> *a quien otros siguen con agrado y confianza.*

LA INFLUENCIA PUEDE DESARROLLARSE

El líder prominente de cualquier grupo se descubre con bastante facilidad. Observemos a un grupo de personas cuando se reúnen. ¿Quién es la persona cuya opinión parece la más valiosa? ¿Quién es la persona con quien la gente enseguida está de acuerdo? Y lo más importante: ¿quién es la persona a la que otros siguen?

Robert Dilenschneider, experto internacional en Relaciones Públicas, escribió un libro titulado *Poder e influencia*, en el cual, para ayudar a los líderes a avanzar, presenta la idea del «triángulo del poder». Dice: «Los tres componentes del triángulo son la comunicación, el reconocimiento y la influencia. Uno comienza comunicándose con efectividad. Esto lleva al reconocimiento y el reconocimiento, a su vez, lleva a la influencia».

LOS NIVELES DEL LIDERAZGO

Puedes aumentar tu influencia y tu potencial como líder si entiendes los siguientes niveles del liderazgo:

5
PERSONAJE

4
DESARROLLO DE LAS PERSONAS

RESPETO: Las personas te siguen por ser quien eres y por lo que representas.
NOTA: Este nivel está reservado para los líderes que han pasado años perfeccionando a las personas y a las organizaciones. Pocos pueden hacerlo. Quienes lo logran son verdaderamente grandes.

3
PRODUCCIÓN

REPRODUCCIÓN: Las personas te siguen por lo que has hecho por ellas.
NOTA: Aquí tiene lugar el crecimiento a largo plazo. Tu compromiso por desarrollar líderes asegurará un crecimiento progresivo a la organización y a las personas. Haz todo lo que puedas por alcanzar y mantenerte en este nivel.

2
CONSENTIMIENTO

RESULTADOS: La gente te sigue por lo que has hecho por la organización.
NOTA: Aquí la mayoría percibe el éxito de las personas. Sienten afecto por el líder y les gusta lo que está haciendo. Los problemas se arreglan con poco esfuerzo debido al impulso.

1
POSICIÓN

RELACIONES: Las personas te siguen porque quieren hacerlo.
NOTA: Las personas te seguirán más allá de tu autoridad. Este nivel permite trabajar con placer. ¡Cuidado! Permanecer demasiado tiempo en este nivel sin ascender causará inquietud en personas altamente motivadas.

DERECHOS: Las personas te seguirán porque deben seguirte.
NOTA: Tu influencia no pasará más allá de los límites de la descripción de tu empleo. Cuanto más tiempo permanezcas aquí, mayores serán los movimientos de personal y más baja la moral.

Nivel 1 - Posición: Las personas te siguen porque deben seguirte

Éste es el nivel básico del liderazgo. La única influencia que uno tiene es la que viene con el título. La gente que se mantiene a este nivel entra en el terreno de los derechos, el protocolo, la tradición y las reglas de organización. Estas cosas no son negativas a menos que se conviertan en la base de la autoridad y de la influencia, pero son pobres sustitutos de las habilidades de liderazgo.

Una persona puede tener el control porque ha sido nombrada en un puesto. En esa posición puede ejercer autoridad. Pero el verdadero liderazgo es más que poseer autoridad; es más que contar con el entrenamiento técnico y seguir los procedimientos adecuados. El verdadero liderazgo consiste en ser la persona que otros seguirán con agrado y confianza. Un verdadero líder sabe la diferencia entre ser un jefe y ser un líder:

- El jefe da órdenes a sus trabajadores; el líder los entrena.
- El jefe depende de su autoridad; el líder, de su buena voluntad.

- El jefe inspira miedo; el líder inspira entusiasmo.
- El jefe dice: «Yo»; el líder: «Nosotros».
- El jefe se ocupa de la culpa del error; el líder se ocupa del error.

Características de un «líder de posición»

La seguridad se basa en el título, no en el talento. Una historia cuenta que un soldado de la Primera Guerra Mundial, después de gritar en un campo de batalla: «¡Apaga esa cerilla!», advirtió que el ofensor era un general. El soldado, que temía un severo castigo, se excusó tartamudeando y el general, dándole una palmadita en el hombro, le dijo: «Está bien, hijo. Alégrate de que no sea teniente segundo». Cuanto más alto es el nivel de verdadera capacidad e influencia de una persona, tanto más confiada y segura de sí misma se vuelve.

Este nivel con frecuencia se gana por nombramiento. Todos los otros niveles se ganan por capacidad.

Las personas no siguen a un líder de posición más allá de lo que señala su autoridad. Ellas sólo harán lo que deben hacer cuando se les exija que lo hagan. La baja moral estará siempre presente. Cuando el líder carece de confianza en sí mismo, los seguidores dejan de comprometerse.

A los líderes de posición les es más difícil trabajar con voluntarios y jóvenes. Los voluntarios no están obligados a trabajar en la organización, de modo que no hay influencia monetaria que un líder de posición pueda utilizar para hacer que ellos respondan. Los jóvenes ya no se impresionan con los símbolos de autoridad.

Las siguientes características deben manifestarse con excelencia en este nivel antes de poder avanzar al próximo:

Nivel 1: Posición/Derechos

- Aprende bien la descripción de tu empleo.
- Permanece al tanto de la historia de la organización.
- Relata la historia de la organización a los demás que no la conocen (en otras palabras, sé un jugador del equipo).
- Acepta responsabilidades.
- Haz tu trabajo siempre con excelencia.
- Haz más de lo que se espera de ti.
- Ofrece ideas creativas para cambios y mejoras.

Nivel 2 - Consentimiento: Las personas te siguen porque lo desean

Fred Smith ha dicho: «El liderazgo hace que la gente trabaje para uno aun sin estar obligada». Esto ocurrirá únicamente cuando asciendas al segundo nivel de influencia.

A las personas no les importa cuánto sabes hasta que descubren cuánto te preocupas por ellas. El liderazgo comienza con el corazón, no con la cabeza. Florece con una relación significativa, no con más reglamentos.

Una persona en el nivel de «consentimiento» ejercerá su liderazgo mediante interrelaciones. Lo importante no es la ley del más fuerte sino el desarrollo de las personas. En este nivel, el líder regala tiempo y energía, y se concentra en las necesidades y deseos de sus seguidores. En una narración acerca de Henry Ford encontramos un ejemplo muy interesante de por qué es tan crucial colocar primero a las personas y sus necesidades. Ford fabricó un automóvil perfecto, el Modelo T. Tenía la mentalidad de productor, deseaba llenar el mundo con esos Modelo T. Pero cuando la gente le decía: «Sr. Ford, quisiéramos un automóvil de diferente color», contestaba bromeando: «Pueden tener cualquier color que deseen, mientras que sea negro». En ese momento, comenzó su declive.

Las personas que son incapaces de establecer relaciones sólidas y duraderas pronto descubren que son incapaces de mantener un liderazgo largo y efectivo. Claro, uno puede amar a las personas sin ejercer liderazgo sobre ellas, pero no se puede ejercer liderazgo sobre ellas sin amarlas.

¡Cuidado! No trates de pasar por alto un nivel. El nivel que más suele saltarse es el 2, *Consentimiento*. Por ejemplo, un marido va desde el nivel 1, *Posición*, título que ganó el día de la boda, al nivel 3, *Producción*. Llega a ser un gran proveedor, pero en el proceso descuida las relaciones esenciales que sostienen unida a la familia. Ésta se desintegra y lo mismo ocurre con una empresa. Las relaciones implican un proceso que proporciona el poder para mantener por largo tiempo la producción en forma regular.

Deben dominarse las siguientes características de este nivel antes de poder avanzar al próximo:

Nivel 2: Consentimiento/Relaciones

- El líder posee un genuino amor por las personas.
- Hace que los que trabajan con él tengan más éxito.
- Ve a través de los ojos de otras personas.
- Ama a las personas más que a los procedimientos.
- Va a lo seguro o no lo hace.
- Incluye a otros en su recorrido.
- Trata con sabiduría a las personas difíciles.

Nivel 3 - Producción: Las personas te siguen debido a lo que has hecho por la organización

En este nivel comienzan a suceder cosas, cosas buenas: aumentan las ganancias, la moral es alta, la renovación de personal es baja, las necesidades se satisfacen. Se han alcanzado las metas. El ímpetu se encuentra junto al crecimiento. Dirigir a otros e influir sobre ellos resulta divertido. Los problemas se resuelven con un esfuerzo mínimo. Las estadísticas se comparten regularmente con las personas que trabajan por el crecimiento de la organización. Todos están orientados hacia los resultados. Es más, los resultados son la razón principal de la actividad.

Ésta es una diferencia importante entre los niveles 2 y 3. En el nivel de «relaciones», las personas se reúnen por el placer de hacerlo. No existe otro objetivo. En el nivel de «resultados», se reúnen para lograr un fin. Desean hacerlo pero, al mismo tiempo, les agrada estar juntas para lograr algo. En otras palabras, están orientadas hacia los resultados.

Mi amigo Dan Reiland me dijo algo que nunca he olvidado: «Si el nivel 1, Posición, es la puerta del liderazgo; entonces el nivel 2, Consentimiento, es la base».

Se deben dominar con excelencia estas características antes de poder avanzar al siguiente nivel.

Nivel 3: Producción/Resultados

- Iniciar y aceptar la responsabilidad del crecimiento.
- Desarrollar y seguir una declaración de propósito.
- Hacer de tu descripción de trabajo y energía una parte integral de la declaración de propósito.
- Desarrollar un sentido de responsabilidad por los resultados, comenzando por ti mismo.
- Saber y hacer las cosas que dan un alto resultado.
- Comunicar la estrategia y la visión de la organización.
- Llegar a ser un agente de cambio y darte cuenta del momento.

• Tomar las decisiones difíciles que marcarán una diferencia.

Nivel 4 - Desarrollo de las personas: Las personas te siguen por lo que has hecho por ellas.

Un líder es grande no por su poder, sino por su capacidad de preparar a otros. Tener éxito sin un sucesor es un error. La primera responsabilidad de un trabajador es realizar él mismo el trabajo. La responsabilidad de un líder es desarrollar a otros para que hagan el trabajo. Se reconoce un verdadero líder porque su gente, de una forma u otra, siempre demuestra una actuación superior.

La lealtad al líder alcanza su máximo nivel cuando quien lo sigue ha crecido bajo su tutelaje. Nótese el progreso: en el nivel 2, al seguidor le gusta el líder; en el nivel 3, el seguidor admira al líder; en el nivel 4, el seguidor es leal al líder. ¿Por qué? Porque se gana el corazón de las personas ayudándolas a crecer.

El núcleo de los líderes que te rodeen debe estar conformado por gente que personalmente has ayudado a desarrollar de alguna forma. Cuando esto te ocurra, los más cercanos a ti y quienes han sido tocados por tus líderes clave te manifestarán amor y lealtad.

Existe, sin embargo, un problema potencial que consiste en ascender a niveles de influencia como líder y llegar a sentirte cómodo con el grupo de personas que has desarrollado a tu alrededor. Muchas personas nuevas pueden verte como un «líder de posición» debido a que no has tenido contacto con ellas. Estas dos sugerencias son útiles para llegar a ser un líder que desarrolla a las personas:

1. Camina despacio entre la multitud. Ten formas de mantenerte en contacto con cada persona.

2. Desarrolla líderes clave. Yo sistemáticamente me reúno con los que son influyentes dentro de la organización y los instruyo. Ellos, a su vez, transmiten a otros lo que yo les he enseñado.

Las características que deben regir en este nivel se enumeran a continuación:

Nivel 4: Desarrollo de las personas/Reproducción

• Comprende que las personas son tu bien más valioso.

• Da prioridad al desarrollo de las personas.

• Sé un modelo que otros sigan.

• Ejerce tus esfuerzos de liderazgo sobre el 20% de tu gente clave.

- Brinda oportunidades de crecimiento a los líderes clave.
- Guía a otros ganadores/productores al objetivo común.
- Rodéate de un círculo íntimo que complemente tu liderazgo.

Nivel 5 - Personaje: Las personas te siguen por ser quien eres y por lo que representas

La mayoría de nosotros no hemos llegado aún a este nivel. Sólo una vida de liderazgo probado nos permitirá ubicarnos en el nivel 5 y cosechar galardones eternamente satisfactorios. Lo sé, y algún día espero estar al tope de este nivel. Es alcanzable.

Las siguientes características definen al líder del nivel 5.

Nivel 5: Personaje/Respeto

- Sus seguidores son leales y se sacrifican.
- Ha pasado años guiando y moldeando líderes.
- Ha llegado a ser un estadista/consultor y los demás lo buscan.
- Su máximo gozo viene de contemplar el crecimiento y el desarrollo de otros.
- Trasciende la organización.

Los peldaños del liderazgo

He aquí algunos conceptos adicionales sobre los niveles del liderazgo:

Mientras más se asciende, más largo es el trayecto.

Cada vez que hay un cambio en tu empleo o te unes a un nuevo círculo de amigos, comienzas desde el nivel más bajo y escalas peldaños.

Cuanto más alto se sube, más alto es el nivel de compromiso.

Este aumento en el compromiso es una calle de doble dirección. Se exige un mayor compromiso no sólo de ti, sino de los demás participantes. Cuando el líder o el seguidor no están dispuestos a hacer los sacrificios que demanda un nuevo nivel, la influencia comenzará a decrecer.

Cuanto más alto se sube, más fácil es dirigir.

Notemos la progresión desde el nivel 2 hasta el nivel 4. El énfasis va desde la simpatía por ti hasta la simpatía por lo que haces en aras del interés común (agrado por lo que haces personalmente por ellos). Cada nivel al que ascienden el líder y sus seguidores añade otra razón por la cual las personas desean seguirle.

Cuanto más alto se sube, mayor es el crecimiento.

El crecimiento sólo puede ocurrir cuando se producen cambios efectivos. El cambio será más fácil a medida que asciendas los niveles del liderazgo. Al ascender, otras personas te permitirán realizar los cambios necesarios e incluso te ayudarán a hacerlos.

Nunca se deja el nivel básico

Cada nivel se sostiene sobre el nivel previo y se derrumbará si se descuida el nivel inferior. Por ejemplo, si pasas de un nivel de consentimiento (relaciones) a un nivel de producción (resultados) y dejas de atender a las personas que te siguen y te ayudan a producir, ellas podrían comenzar a pensar que están siendo manipuladas. A medida que asciendes en los niveles, tu liderazgo será más profundo y más sólido.

Si diriges un grupo de personas, no estarás en el mismo nivel de cada una de ellas.

Las personas no responderán del mismo modo a tu liderazgo.

Para que tu liderazgo permanezca efectivo, es esencial que lleves contigo a las demás personas de influencia del grupo hacia los niveles superiores.

La influencia colectiva del líder principal y de los otros líderes atraerá al resto del grupo. Si esto no ocurre, se producirá una división de intereses y de lealtad dentro del grupo.

Debes saber en qué nivel te encuentras en este momento.

Puesto que estarás en diferentes niveles con diferentes personas, necesitas saber en qué nivel te encuentras con cada persona. Si los que más influyen dentro de la organización se encuentran en los más altos niveles y te apoyan, tu éxito al dirigir a otros será alcanzable. Si no lo hacen, pronto surgirán problemas.

Cada persona es un líder porque influye sobre alguien. No todos llegarán a ser grandes líderes, pero todos pueden llegar a ser líderes mejores. ¿Estás dispuesto a dar rienda suelta a tu potencial de liderazgo? ¿Usarás tus capacidades de liderazgo para mejorar a la humanidad?

Mi influencia

Antes de que termine el día,
mi vida tocará una docena de vidas.
Antes de que se ponga el sol,
dejará incontables huellas, buenas o malas.

Esto he deseado siempre,
ésta es la oración que siempre elevo:
Señor, que mi vida ayude a otras vidas
que encuentre en mi camino.

9
¿Cómo puedo extender mi influencia?

> *El acto de otorgar poder a otros cambia vidas.*

Un artista inglés llamado William Walcott fue a Nueva York en 1924 para recoger sus impresiones de aquella fascinante ciudad. Una mañana, cuando visitaba la oficina de un antiguo colega, sintió deseos de hacer un dibujo. Al ver papel sobre el escritorio, le preguntó:

–¿Puedo usar una hoja?

–No es papel para dibujar –le respondió su amigo–. Es papel ordinario de envolver.

Como no quería perder aquella chispa de inspiración, Walcott dijo:

–Nada es ordinario si se sabe cómo utilizarlo.

Sobre aquel papel Walcott hizo dos dibujos. Meses después, uno de ellos se vendió en quinientos dólares y el otro, en mil, ambas, buenas sumas en 1924.

La gente bajo la influencia de una persona que sabe cómo dar poder a otros se parece al papel en las manos de un artista de talento. No importa de qué está hecha, puede convertirse en un tesoro.

La capacidad de otorgar poder es uno de los secretos del éxito personal y profesional. John Craig señalaba: «No importa cuánto trabajo podamos realizar, no importa cuán atractiva sea nuestra personalidad, no progresaremos mucho en los negocios si no podemos trabajar por intermedio de otros». El empresario J. Paul Getty afirmó: «Por mucho conocimiento o experiencia que un ejecutivo posea, si no es capaz de lograr resultados por intermedio de otras personas, no sirve como ejecutivo».

La gente bajo la influencia de una persona que sabe cómo dar poder a otros se parece al papel en las manos de un artista de talento.

Cuando uno empieza a desarrollar a otros, trabaja con esas personas y por intermedio de ellas, pero hace mucho más. Uno capacita a otros para que alcancen los más altos niveles en su desarrollo personal y profesional. En palabras sencillas, permitir el desarrollo es influir sobre otros con el fin de obtener crecimiento en lo personal y para la organización; es compartirte tú mismo –influencia, posición, poder y oportunidades– con otros, con el fin de invertir en sus vidas, de forma que puedan funcionar del mejor modo: es ver el potencial de las personas, hacerlas partícipes de tus recursos y mostrarles que crees en ellas completamente.

Quizá ya estás preparando a algunas personas en tu vida sin saberlo. Cuando le confías a tu cónyuge alguna decisión importante, le concedes poder. Cuando decides que tu hijo está listo para cruzar la calle solo y le das permiso para hacerlo, le das poder. Cuando delegas una tarea importante a un empleado y le otorgas la autoridad que necesita para realizarla, le concedes poder.

El acto de otorgar poder a otros cambia vidas, y constituye una victoria para ti mismo y para esas personas. Entregar parte de tu autoridad a otros no es como deshacerte de un automóvil. Si te deshaces de él, te quedas sin transporte. Pero otorgar poder a otros, confiriéndoles tu autoridad, tiene los mismos efectos que darles información: incrementas su capacidad y no pierdes nada.

CUALIDADES DEL QUE OTORGA PODER

Casi todo el mundo tiene el potencial de conceder poder, pero no se puede dar poder a todo el mundo. El proceso será beneficioso cuando quien lo otorga reúna ciertas condiciones:

Posición

No puedes dar poder a personas sobre las que no ejerces liderazgo. Fred Smith, experto en el tema, explicó: «¿Quién puede dar permiso a otra persona para que tenga éxito? Sólo una persona con autoridad. Otros pueden estimular, pero el permiso procede únicamente de una figura con autoridad: un padre, un jefe o un director espiritual».

Relación

Se ha dicho que las relaciones se forjan, no se forman. Requieren tiempo y experiencia común. Si hemos hecho el esfuerzo de relacionarnos con determinadas personas, cuando estemos listos para entregarles cierto poder, esas relaciones deberán ser lo suficientemente sólidas como para poder ejercer liderazgo sobre ellas. Cuando lo hagamos, recordemos lo que escribió

Ralph Waldo Emerson: «Todo hombre (o mujer) tiene derecho a que lo valoren por sus mejores momentos». Cuando valoramos a las personas, ponemos los cimientos para su desarrollo.

Respeto

Las relaciones hacen que las personas deseen estar contigo, pero el respeto las motiva a desear que les concedas autoridad. El respeto mutuo es esencial en el proceso de otorgar poder. El psiquiatra Ari Kiev lo resumió de esta forma: «Todo el mundo desea sentir que cuenta para algo y que es importante para alguien. Invariablemente, las personas darán su amor, su respeto y su atención a la persona que llene esas necesidades». Cuando crees y confías en las personas y te preocupas por ellas, lo saben. Y ese respeto las inspira a desear seguirte cuando las diriges.

Compromiso

La última cualidad que necesitas para llegar a ser un líder que permite el desarrollo de otros es el compromiso. Ed McElroy, ejecutivo de una compañía aérea, subrayó que «el compromiso nos da un nuevo poder. No importa lo que surja –enfermedad, pobreza o desastre– nunca apartemos nuestra vista de la meta». El proceso de ayudar a otros a desarrollarse no siempre es fácil, especialmente cuando se lo lleva a cabo por primera vez. Es un camino lleno de baches y desvíos, pero digno de ser recorrido, porque sus beneficios son grandes.

Recuerda: cuando concedes poder a las personas, no sólo influyes en ellas, sino en todas aquellas en quienes, a su vez, influyen. ¡Eso es verdadero impacto!

LA ACTITUD CORRECTA

Un elemento fundamental para otorgar poder, si quieres llegar a ser un líder de éxito, es mantener una actitud correcta.

Muchas personas no se atreven a conceder facultades a otros porque se sienten inseguras. Temen perder sus empleos en manos de aquellos para quienes son mentores. No quieren ser reemplazadas ni desplazadas, aun si ello significa ascender a una posición más elevada y dejar la actual para que la desempeñe la persona a quien dirigen. Sienten miedo al cambio. Pero el cambio es parte de la concesión de facultades, para la persona a quien facultas y para ti mismo. Si quieres ascender, debes estar dispuesto a abandonar ciertas cosas.

Cuando se analiza el asunto, el liderazgo que otorga poder es, algunas veces, la única ventaja real que una organización tiene sobre otra en nuestra competitiva sociedad.

Si no estás seguro de dónde te encuentras en términos de tu actitud hacia los cambios involucrados en otorgar poder a otros, responde a estas preguntas:

Preguntas para responder con sinceridad antes de comenzar:

1. ¿Creo en las personas y siento que son los bienes más apreciables de mi organización?

2. ¿Creo que dando poder a otros puedo alcanzar más que un logro simplemente individual?

3. ¿Busco activamente líderes potenciales para desarrollarlos?

4. ¿Estaría dispuesto a promover a otros a un nivel superior a mi propio nivel de liderazgo?

5. ¿Estaría dispuesto a invertir tiempo en desarrollar a personas que tengan potencial de liderazgo?

6. ¿Estaría dispuesto a dejar que otros obtengan crédito con lo que yo les enseñé?

7. ¿Permito que otros tengan libertad de personalidad y desenvolvimiento, o debo controlarla yo?

8. ¿Estaría dispuesto a dar públicamente mi autoridad e influencia a líderes potenciales?

9. ¿Estaría dispuesto a dejar que otros hicieran mi trabajo?

10. ¿Estaría dispuesto a entregar la batuta del liderazgo a personas a quienes he facultado y a apoyarlas verdaderamente?

Si respondes que no a más de dos de estas preguntas, es posible que necesites un cambio de actitud. Es preciso creer en los otros lo suficiente para darles lo más que puedas y creer en ti mismo lo suficiente para saber que eso no te perjudicará. Recuerda que, en tanto sigas creciendo y desarrollándote, siempre tendrás algo que dar, y no debes preocuparte de que vayan a desplazarte.

Cómo desarrollar el potencial de otros

Una vez que tengas confianza en ti mismo y en las personas a las que deseas ayudar a crecer, estarás listo para comenzar el proceso. Tu meta deberá ser

encomendar, al comienzo, tareas relativamente pequeñas y sencillas, e ir aumentándoles progresivamente
sus responsabilidades y autoridad. Cuanto menos
maduras sean las personas con quienes trabajes, mayor
será el tiempo que te exigirá el proceso. Pero no
importa si son novatos o expertos veteranos: sigue
siendo importante que les guíes a través de todo el
camino. Puedes utilizar estos pasos como guía al
capacitar a otros.

1. *Realiza una evaluación*

El primer paso para comenzar a otorgar poder a las
personas es evaluarlas. Si das muy rápidamente dema-
siada autoridad a gente inexperta, puedes llevarla al
fracaso. Si procedes muy despacio con personas de
experiencia, las frustrarás o las desmoralizarás.

Recuerda que todas las personas tienen el potencial
para triunfar. Tu trabajo es verlo, encontrar qué les
falta para desarrollarse y suministrarles lo que necesitan. Al realizar esta evaluación, observa estas áreas:

Conocimiento. Piensa qué necesitan saber para realizar las tareas que intentas darles. No des por seguro

que conocen lo mismo que tú. Debes hacerles preguntas, darles información sobre los antecedentes y presentarles una visión del panorama completo, de cómo encaja tu acción dentro de la misión y de las metas de la organización. El conocimiento no es sólo poder: es dotar de poder.

Destreza. Examina el nivel de destreza de aquellos a quienes deseas desarrollar. Nada es más frustrante que recibir una orden de hacer algo para lo cual no se tiene capacidad. Tu trabajo como dador de facultades es descubrir qué exige el empleo y estar seguro de que tu gente tiene lo que necesita para triunfar.

Deseo. El filósofo griego Plutarco afirmaba que «el suelo rico, si no se cultiva, produce la más exuberante hierba mala». No hay suma de habilidad, conocimiento o potencial que pueda ayudar a la gente a tener éxito si no tiene el deseo de triunfar. Pero cuando el deseo está presente, desarrollar es fácil. Como dijo el ensayista francés Jean de La Fontaine: «El hombre está hecho de tal manera que cuando algo enciende su mente, los imposibles se desvanecen».

2. Sé un modelo

Aun la gente que posee conocimiento, habilidad y deseo necesita saber lo que se espera de ella, y la mejor manera de hacerlo es que se lo demuestres tú mismo. Las personas hacen lo que ven.

Aquellos a quienes deseamos dar poder necesitan comprobar qué es volar. Como mentor, tienes la mejor oportunidad de demostrárselo. Modela la actitud y la ética de trabajo que quisieras que ellos abrazaran. Y cada vez que puedas incluirlos en tu trabajo, llévalos contigo. Será la mejor ayuda para que comprendan lo que deseas que hagan.

3. Da permiso para triunfar

Como líder y persona influyente, quizá creas que todo el mundo desea triunfar y que automáticamente se esfuerza por lograrlo, pero no todas las personas en quienes influyes piensan del mismo modo. Ayuda a los demás a creer que pueden triunfar y muéstrales que deseas que lo logren. ¿Cómo se hace eso?

Espera que ocurra. El autor y conferencista Danny Cox aconsejó: «Lo importante es recordar que si no tenemos ese inspirado entusiasmo contagioso, cualquier otra cualidad que tengamos es también contagiosa». Las personas pueden percibir tu actitud más allá de lo que digas o hagas. Si de verdad esperas que triunfen, lo sabrán.

Exprésalo con palabras. Las personas necesitan escucharte decir que crees en ellas y deseas que tengan éxito. Diles a menudo que sabes que lo lograrán: envíales notas alentadoras, conviértete en el profeta positivo de su éxito y refuerza sus ideas cuantas veces puedas.

Una vez que las personas reconozcan y entiendan que genuinamente deseas que tengan éxito y estás comprometido en ayudarlas, comenzarán a creer que pueden realizar lo que les encomendaste.

4. Transfiere autoridad

Muchas personas están dispuestas a dar responsabilidades a otros y con mucho gusto les confían tareas. Pero otorgar autoridad es más que compartir tu tarea: es compartir tu poder y tu capacidad para realizarla.

Peter Drucker, experto en administración, afirmó que «ningún ejecutivo ha sufrido jamás debido a que sus subordinados fueran fuertes y efectivos». Las personas se hacen fuertes y efectivas sólo cuando se les brinda la oportunidad de tomar decisiones, iniciar acciones, resolver problemas y enfrentar desafíos. En conclusión: el liderazgo que da poder es la única ventaja real que una organización tiene sobre otra en nuestra competitiva sociedad.

5. Muestra tu confianza en público

Cuando transfieres autoridad por primera vez a alguien, debes decirle que crees en él o ella, y tienes que hacerlo en público. Ese reconocimiento le permite saber que crees que tendrá éxito, pero también permites a otras personas saber que cuenta con tu apoyo y el respaldo de tu autoridad. Ésta es una forma tangible de compartir (y extender) tu influencia.

A medida que educas líderes, debes mostrarles a ellos y a sus seguidores que cuentan con tu confianza, y verás que rápidamente llegarán a estar capacitados para el triunfo.

6. Proporciona apoyo

Si bien debes elogiar públicamente a tu gente, no puedes dejar pasar mucho tiempo sin darle una información sincera y positiva. Reúnete en privado para educarla a través de sus errores, descuidos y juicios equivocados. Al principio, algunas personas atraviesan momentos difíciles. Durante ese período inicial sé comprensivo: trata de darles lo que necesitan, no lo que merecen, y aplaude cualquier progreso que hagan. La gente hace aquello por lo que recibe elogios.

7. Deja que sigan por su propia cuenta

No importa a quiénes estés dando poder (tus empleados, tus hijos, tus colegas o tu cónyuge): tu meta final debe ser soltarlos para que tomen buenas decisiones y lleguen al éxito por sí mismos. Y eso significa darles la mayor libertad posible tan pronto estén listos para recibirla.

El presidente Abraham Lincoln fue un excelente maestro de líderes. Cuando designó a uno de sus generales, le envió este mensaje: «No pido ni deseo saber nada de sus planes. Asuma la responsabilidad y actúe, y búsqueme si me necesita».

Ésta es la actitud que debes tener como dador de poder: otorga autoridad y responsabilidad, y ofrece tu ayuda cuando sea necesaria. Mi padre, Melvin

Maxwell, siempre me estimuló a ser la mejor persona posible, y me dio permisos y autoridad. Un día, me expuso su filosofía: «Nunca te fijé conscientemente límites, siempre que yo supiera que lo que hacías era moralmente correcto».

RESULTADOS DE LA CONCESIÓN DE PODER

Si encabezas cualquier clase de organización –una empresa, un club, una iglesia o una familia–, una de las cosas más importantes que harás como líder es aprender a dar poder. Esta concesión tiene una recompensa increíblemente alta. No sólo ayuda a los individuos que mejoras haciéndoles más eficientes, enérgicos y productivos, sino que también mejora tu vida, dándote mayor libertad y promoviendo el crecimiento y la salud de tu organización. Dar poder te permitirá disponer de más tiempo para las cosas importantes de tu vida y, lo mejor de todo, logrará un impacto increíblemente positivo en la vida de las personas a las que facultes.

10
¿Cómo puedo hacer que dure mi liderazgo?

> *El valor duradero de un líder se mide por su sucesión.*

Roberto Goizueta fue presidente de la empresa Coca-Cola. En un discurso que pronunció pocos meses antes de morir, hizo esta declaración: «Mil millones de horas atrás apareció la vida humana sobre la Tierra. Mil millones de minutos atrás, surgió el cristianismo. Mil millones de segundos atrás, los Beatles se presentaron en Estados Unidos. Mil millones de Coca-Colas atrás... fue ayer por la mañana. La pregunta que nos formulamos ahora es: ¿Qué debemos hacer para que mil millones de Coca-Colas atrás sea esta mañana, no ayer...?»

La meta de su vida fue hacer de Coca-Cola la mejor compañía del mundo, objetivo que perseguía con esmero cuando, súbitamente, murió. Las empresas que pierden a su presidente con frecuencia caen en la confusión, especialmente si esa desaparición es inesperada.

El legado de Goizueta

El legado que dejó Goizueta a la compañía fue enorme. Bajo su liderazgo, Coca-Cola llegó a ser la segunda corporación más valiosa de los Estados Unidos –después de General Electric–, por encima de los fabricantes de automóviles, de las compañías petroleras, de Microsoft y de Wal-Mart. Muchos de los accionistas de Coca-Cola se hicieron multimillonarios.

Pero el alto valor de las acciones no fue lo más significativo que Goizueta dio a su compañía, sino el modo en que vivió la Ley del Legado. Cuando se anunció su muerte, no hubo pánico entre los accionistas de Coca-Cola. ¿Cómo lo logró? Primero, fortaleciendo a la empresa tanto como pudo. Segundo, preparando un sucesor para la posición principal.

Éste era un contador, que había comenzado su carrera en Coca-Cola como controlador. Se hizo notar por su excepcional creatividad financiera y fue una fuerza importante en la capacidad de Goizueta para revolucionar la compañía. Goizueta comprendió que ese hombre tenía un potencial importante y le envió a Europa a ganar experiencia administrativa e internacional. Un año después, le trajo de regreso y le nombró presidente de Coca-Cola Estados Unidos. Desde entonces, continuó preparándole y, al morir, no cabía duda de que le seguiría en la posición principal. Lo que Roberto Goizueta hizo fue completamente inusual. Pocos directores generales de compañías capacitan a líderes fuertes y les preparan para asumir el mando de la organización. ¿Por qué él fue diferente? Porque conocía por propia experiencia el efecto positivo de la tutoría directa.

Roberto Goizueta nació en Cuba y estudió en Yale, donde obtuvo el título de ingeniero químico. Al terminar su carrera, respondió a un anuncio en un periódico que solicitaba un químico bilingüe. La compañía resultó ser Coca-Cola. En poco tiempo llegó a ser vicepresidente de investigación técnica y desarrollo. Fue el hombre más joven que ocupó tal posición en la empresa. Pero lo más importante le ocurrió cuando Robert W. Woodruff, patriarca de Coca-Cola, le tomó bajo su tutela y comenzó a capacitarle. Con el visto bueno de Woodruff, Goizueta llegó a presidente. La razón por la que él mismo seleccionó, capacitó y preparó con tanta confianza a su sucesor en los años noventa fue que construyó sobre el legado que había recibido él mismo en la década de 1970.

LÍDERES QUE DEJAN UN LEGADO DE SUCESIÓN

Los líderes que dejan un legado de sucesión para su organización hacen lo siguiente:

1. Dirigen la organización con «amplia perspectiva»

Cualquiera puede hacer que una organización se vea bien por un rato: lanzando un nuevo programa o un producto llamativo, atrayendo multitudes a un gran evento o recortando el presupuesto para optimizar ganancias. Pero los líderes que dejan un legado tienen un enfoque diferente: ejercen su liderazgo teniendo en mente el mañana tanto como el hoy. Goizueta hizo eso: planeó mantenerse como líder en tanto fuera efectivo; sin embargo, de todas maneras, preparó a su sucesor. Siempre estuvo atento a los mejores intereses de la organización y de sus accionistas.

2. *Crean una cultura de liderazgo*

Las compañías más estables cuentan con líderes fuertes en cada nivel de la organización. La única manera de desarrollar un liderazgo de tal amplitud es hacer que los líderes en desarrollo formen parte de tu cultura. Éste es un punto fuerte del legado de Coca-Cola. ¿Cuántas compañías de éxito conocemos que hayan tenido una sucesión de líderes que provengan de las filas de la propia organización?

3. *Pagan el precio hoy para asegurar el éxito mañana*

No hay éxito sin sacrificio. Cada organización es única, y eso decide cuál será el precio. Pero todo líder que quiera ayudar a su organización debe estar dispuesto a pagar ese precio para asegurar un éxito duradero.

4. Valoran el liderazgo en equipo por encima del liderazgo individual

Por excelente que sea un líder, no puede hacerlo todo solo. Así como en el deporte el entrenador necesita un equipo de buenos jugadores para ganar, una compañía necesita un equipo de buenos líderes para lograr el éxito. Cuanto mayor sea la organización, más fuerte, más grande y más profundo debe ser el equipo de líderes.

5. Se retiran de la organización con integridad

Cuando llega el momento en que un líder debe abandonar la organización, debe estar dispuesto a salir y dejar que su sucesor haga su propio trabajo. Permanecer en ella dañaría a la organización y a él también.

POCOS LÍDERES DEJAN UN LEGADO

Max Dupree, autor de *El liderazgo es un arte*, escribió que «la sucesión es una de las responsabilidades clave del liderazgo». Sin embargo, la Ley del Legado es la que menos líderes parecen aprender. Un logro llega cuando una persona es capaz de hacer grandes cosas para sí misma. El éxito, cuando el líder faculta a sus seguidores para hacer grandes cosas con él. La trascendencia se alcanza cuando ese líder desarrolla a otros para hacer grandes cosas para él. Pero un legado se crea sólo si el líder pone a su organización en la posición de hacer grandes cosas sin él.

Aprendí la importancia de la Ley del Legado de manera difícil. En los comienzos de mi primera posición de liderazgo en Indiana, sólo asistían tres personas a la iglesia de la cual era ministro. Durante tres años, trabajé con aquella comunidad y ejercí influencia sobre la vida de muchas personas. Cuando me fui, el promedio de asistencia era de más de trescientas personas. Varios programas se estaban desarrollando y todo me parecía color de rosa. Creía que había hecho algo realmente significativo.

Un año y medio después, ya en mi segunda iglesia, almorcé con un amigo que acababa de pasar cierto tiempo en Indiana. Le pregunté cómo andaban las cosas por allí y me sorprendí al escuchar su respuesta.

—No muy bien —me contestó.

–¿Por qué? Las cosas marchaban bien cuando me fui. ¿Cuál es el problema?

–Bueno –me dijo–. Muchos de los programas que comenzaste ya no continúan. La iglesia funciona apenas con unas cien personas. Es posible que se reduzca aún más antes de desaparecer.

Aquello me molestó mucho. Un líder aborrece ver derrumbarse algo en lo que ha invertido sangre, sudor y lágrimas. En un primer momento, culpé a mi sucesor, pero luego caí en la cuenta: si yo hubiera hecho realmente un buen trabajo allí, no habría importado qué clase de líder me reemplazase. La culpa era mía: no había logrado que la organización tuviera éxito después de que yo la dejara. Ésa fue la primera vez que comprendí el significado de la Ley del Legado.

CAMBIO DE PARADIGMA

Después de aquello, comencé a mirar al liderazgo de una forma totalmente nueva. Todo líder deja su organización de una manera u otra. Puede cambiar de empleo, puede recibir un ascenso o puede retirarse.

Incluso si una persona no quiere retirarse, morirá algún día. Esto me hizo comprender que parte de mi trabajo como líder era comenzar a preparar a mi gente y a la organización para lo que inevitablemente vendría. Por lo tanto, cambié mi enfoque: dejé de dirigir seguidores y pasé a desarrollar líderes. Mi valor duradero, como el de cualquier líder, se medirá de acuerdo a mi capacidad para dar a la organización una sucesión tranquila y sin inconvenientes.

Eso fue lo que hice en la segunda iglesia que me tocó dirigir. Cuando llegué, establecí como uno de mis primeros objetivos la identificación y el desarrollo de líderes potenciales porque sabía que nuestro éxito dependía de eso. Durante los catorce años que estuve allí, mi equipo y yo desarrollamos literalmente a cientos de valiosos líderes, tanto voluntarios como miembros del personal.

Una de mis mayores alegrías en la vida es saber que aquella comunidad se encuentra más fuerte ahora que cuando la dejé. El pastor que me sucedió realiza allí un maravilloso trabajo. Varios años después de que me fuera, me pidió que volviera a hablar en un banquete destinado a recaudar fondos para la nueva fase de un proyecto de construcción.

Cerca de cuatro mil personas asistieron al evento en el Centro de Convenciones de San Diego, frente a la hermosa bahía de la ciudad. Mi esposa Margaret y yo disfrutamos mucho la oportunidad de encontrarnos y conversar con tantos de nuestros antiguos amigos. Y por supuesto, me sentí privilegiado por ser el conferencista de la noche. Fue una verdadera celebración y todo un éxito.

Tan pronto terminé de hablar, Margaret y yo nos fuimos sigilosamente del salón. Queríamos dejar que quien era en ese momento el líder de la comunidad disfrutara lo logrado. Fue maravilloso saber que lo que habíamos comenzado juntos tantos años atrás aún funcionaba. Mi amigo Chris Musgrove dice: «El éxito no se mide por lo que tienes por delante, sino por lo que dejas atrás».

Al fin de cuentas, la capacidad de un líder no será juzgada por lo que logró personalmente, ni siquiera por lo que su equipo realizó durante su permanencia en el cargo. Lo juzgarán por el modo en que su gente y su organización actuaron después de su partida. Lo medirán de acuerdo con la Ley del Legado: su valor permanente será medido por los sucesores.

Acerca del autor

John C. Maxwell, conocido como el experto de los Estados Unidos en liderazgo, habla a cientos de miles de personas cada año. Ha comunicado sus principios sobre liderazgo a empresas de Fortuna 500, a la Academia Militar de los Estados Unidos en West Point, y a organizaciones deportivas como la NCAA, la NBA y la NFL. Maxwell es fundador de varias organizaciones, tales como Máximo Impacto, dedicadas a ayudar a las personas a alcanzar su potencial de liderazgo. Es autor de más de treinta libros, entre ellos *Developing the Leader Within You, Failing Forward, Your Road Map for Success, There's No Such Thing as Business Ethics*, y *Las 21 Leyes Irrefutables del Liderazgo*, que han vendido más de un millón de ejemplares.

¡Tu opinión es importante!
Escríbenos un e-mail a **miopinion@libroregalo.com**
con el título de este libro en el "Asunto".